Texto de acordo com as normas do novo acordo ortográfico da língua portuguesa (Decreto Legislativo Nº54 de 1995).

Editora – Catia Mourão
Capa – Jéssica Gomes
Diagramação – Catia Mourão
Revisão – Vanuza Rúbia F. Freitas

Dados Internacionais de Catalogação na Publicação (CIP)

Sousa, Lucas de

O Encantador de Livros – 1. ed
Rio de Janeiro: Ler Editorial, 2016

ISBN 978-85-68925-33-1

1. Ficção fantástica 2. Literatura brasileira
I. Título

CDD 028.5 CDU 82.93

Índice para catálogo sistemático:
1. Literatura infantojuvenil 028.5

Foi feito o depósito legal.
Direitos de edição:

Ler
EDITORIAL

O Encantador de Livros

Lucas de Sousa

1ª Edição
Rio de Janeiro - Brasil

Sumário

05 CAPÍTULO 1
09 CAPÍTULO 2
17 CAPÍTULO 3
27 CAPÍTULO 4
36 CAPÍTULO 5
43 CAPÍTULO 6
55 CAPÍTULO 7
67 CAPÍTULO 8
71 CAPÍTULO 9
76 CAPÍTULO 10
84 CAPÍTULO 11
89 CAPÍTULO 12
94 CAPÍTULO 13
100 CAPÍTULO 14
103 CAPÍTULO 15
110 CAPÍTULO 16
125 CAPÍTULO 17
128 CAPÍTULO 18
131 CAPÍTULO 19
140 CAPÍTULO 20
149 AGRADECIMENTO

1

É incrível a quantidade imensa de prédios que uma cidade pode suportar. Em outras, é difícil notar se realmente é uma cidade ou uma floresta.

Pois bem! Em nenhuma cidade eu vi tantos livros do que na própria Cidade dos Livros. Isso mesmo! A Cidade dos Livros.

Lá, como em nenhum outro lugar do planeta, as pessoas liam muitos livros. Os devoravam dia e noite, sem parar. E por mais que a leitura seja uma prática considerada solitária, na Cidade dos Livros a solidão parecia não ter espaço. Podia ser em um banco, um hospital, na fila do supermercado... Em qualquer lugar a leitura acontecia. As pessoas não tinham medo de mergulhar em aventuras dramáticas ou perigosas.

O ponto de ônibus era abarrotado de gente de olhos grudados nas páginas de seus livros e na outra ponta da rua também tinha um grupo de gente que escutava alguém declamando poemas ou lendo um conto a plenos pulmões.

Era gente rindo, chorando, comentando um livro ou apenas lendo uma boa história.

Isso acontecia durante o dia inteiro, em todos os lugares, por semanas e anos sem parar.

A cidade nem era tão grande assim, mas parecia enorme aos olhos ávidos daqueles que só queriam saber dos livros.

As letras se desenhavam diante do leitor. Era sempre uma viagem e tanto! Os escritores eram tidos como deuses. Poemas eram espalhados, colados em postes ou em cafés, em padarias e livrarias. Os famosos parques da cidade eram enormes bibliotecas, com dez, quinze ou cinquenta andares, todos recheados de obras famosas e também desconhecidas.

As visitas eram tantas que, às vezes, era preciso fechar as portas para que ninguém mais pudesse entrar.

Os bosques eram de um verde fascinante, de árvores frondosas, enfeitadas com poemas dos mais variados artistas da cidade. Eram altas e sempre ornavam muito bem os lindos dias de sol.

No laguinho próximo, os barquinhos de papel deslizavam cautelosamente pelas águas límpidas e refrescantes, onde qualquer um, em qualquer dia ou hora, podia se refrescar e quem sabe desfazer aqueles barquinhos para ler o que tinha escrito neles.

Muitas crianças eram vistas lendo, fosse sozinhas ou acompanhadas pelos pais, que por sinal, liam também. Enquanto o pai ria das situações de um mocinho atrapalhado, a mãe chorava por uma donzela desesperada.

Tudo ali inspirava alegria e amor.

Há uma coisa muito interessante que eu preciso contar para vocês: ler e escrever se tornou tão comum naquele lugar que se transformou até em esporte.

É uma competição grande, onde pessoas de todos os tipos, que compartilham o amor pela leitura e a escrita, disputam vários outros livros.

A Grande Praça sempre fora o palco das competições. É uma verdadeira festa cheia de alegria e emoção.

Também nunca tinha visto tantos carteiros em toda a minha vida. Os correios não paravam de receber cartas o dia inteiro. Muitas notícias corriam soltas, de um lado para o outro. Jornais eram impressos dia e noite, e entregues três vezes ao dia.

Certa vez, ouviram-se rumores de que uma casa pelas redondezas fora construída com livros. As janelas, as portas, a cozinha inteira, o banheiro e até as privadas foram feitas com páginas de papel.

Bom, não seria novidade nenhuma, visto que a mansão do prefeito possuía uma torre feita com livros de capa vermelha.

As escolas existiam de montão. Eram pequenas ou grandes, mas muito diferentes daquelas que estamos acostumados a frequentar, onde o ensino era centrado no conhecimento do aluno e não do professor.

Dali saíram cientistas famosos, jornalistas polêmicos, arquitetos habilidosos, médicos bondosos, presidentes fascinantes e, principalmente, escritores aclamados no mundo inteiro. Sem contar o número infinito de contadores de histórias, que partiram levando a alegria de muitos contos, poesias e lendas na bagagem, desbravando o planeta inteiro.

Fosse à luz das velas ou até mesmo dentro de uma carruagem, ou ainda no fundo escuro de um porão, na Cidade dos Livros todo mundo lia.

Liam por amor, porque gostavam e precisavam.

Liam porque era a coisa mais gostosa que conheciam.

Eram cartas, jornais, livros, memorandos... O que tivesse letra era lido. Em festas, em repartições públicas ou em família, no almoço ou no jantar.

E escreviam também, fosse para salvar ou para serem salvos. Mas liam, acima de tudo, para viver.

Conhecer a Cidade dos Livros foi a melhor coisa que já me aconteceu.

2

Vou contar para todos que você é uma pessoa de sorte.

Isso mesmo! Você, que lê este livro e entende o que quero dizer.

As letras vão se formando sucessivamente em palavras, de onde surgirá uma frase.

Pode acreditar que isso tudo é mágica! Compreendê-las é ficar por dentro de todas as novidades sobre o mundo à nossa volta. Ficamos mais inteligentes e nada se torna incompreensível aos nossos pensamentos.

Saber ler é o bem mais precioso que guardaremos conosco. Aprendi isto quando conheci a história de um menino de dez anos chamado Benjamim, morador da Cidade dos Livros, onde todos o conheciam por Apanhador de Livros.

Ali ninguém era mais interessado em livros do que ele, porém, Benjamim guardava um grande segredo: ele não sabia ler.

Nossa história começa aqui, debaixo de um céu azul, entre o barulho dos carros e dos passos apressados.

Os olhos ávidos acompanhavam todas as letras. Muitos atravessavam as ruas, pegavam seu ônibus, embarcavam no bonde sem desgrudar a atenção dos livros. Era um desfile de cabeças baixas e livros em mãos.

Ruazinhas e vilas ficavam recheadas de gente de todo o tipo e lojas de todos os tipos, com livros de todos os tipos. Loja de lápis, de caderno, cursos disso e daquilo.

O vai e vem de pessoas era constante, até porque havia muitos turistas como eu e muitos moradores que iam trabalhar ou levar seus filhos para a escola, comprar mais livros e desfrutar das deliciosas lojas de chocolate ou café. E o clima sempre ajudava. O sol nascia alegre para o agrado da Cidade dos Livros, naquele dia.

Chover ali era sempre uma terrível tragédia. Imagine tinta, papel e água. Misture tudo. Pronto! Lá se vai um amigo. Nesses dias nem se pode andar de livro aberto.

Também não pude deixar de observar a alegria das crianças ao saírem de suas escolas, juntamente com suas professoras, a pesquisarem, perguntarem, a descobrirem um eterno mundo de curiosidades, usando uma ferramenta a qual para muitos não passava de um simples objeto: o lápis.

O uso do papel também se fazia presente. Pena que Benjamim não sabia exatamente o que um lápis significava na vida de alguém. Esse desventurado menino olhava todas aquelas crianças desfilando por ele e durante demorados minutos, arriscava-se a entender o que elas conseguiam fazer com tal estranho instrumento.

Imaginava a sensação de poder usar aquilo, já que nunca tivera o prazer de escrever alguma coisa que fizesse sentido em toda sua vida.

Naquela mesma manhã, o menino mal havia acordado e já estava de pé na porta de casa, pronto para sair.

Onde morava era um tanto engraçado, pelo menos todos os seus colegas achavam. Começando pelas janelas: tortas e descascadas.

Na verdade, sua casa era totalmente torta, feia e muito antiga. Ficava num canto úmido e muito escuro quando a noite caía. Os vizinhos viviam fofocando sobre a vida alheia, as ruas eram esburacadas e os postes achavam-se sempre numa confusão de fios, o que resultava, muitas vezes, na falta de luz.

Após encontrar seus chinelos na varanda, consertou os óculos, passou uma mãozada no cabelo quase sempre bagunçado e tentou, sem sucesso, desamassar a roupa e o rosto ainda inchado de sono.

Andou até o portão do cercadinho, pegou uma caixa do tamanho daquelas de sapato, e foi-se para mais um dia de sua emocionante caçada.

Diferente dos seus amigos, Benjamim tinha um corpo magricelo, roupas grandes demais e cabelos desalinhados demais.

Seus óculos sempre precisavam de um reparo com fita adesiva. Quando quebrava os chinelos, pregava com cola. Os sapatos eram usados em ocasiões especiais, tal como suas roupas não rasgadas.

Podia não ter tantas vestes inteiras ou guloseimas para degustar, mas o que tinha de mais importante na vida eram seus livros do porão e Ariane, André, Nicolas e Clarice, seus maiores amigos.

Não havia torta, arroz ou feijão melhor do que uma boa gargalhada e uma gostosa conversa no final da tarde. Nem sorvete nenhum no mundo se comparava a leitura de Ariane feita em voz alta, nem ovo frito mais gostoso do que os planos de André e Clarice, nem mesmo torta de chocolate mais interessante do que os conselhos de Nicolas.

Naquela manhã, nenhum dos três apareceu, mesmo assim Benjamim não deixou de buscar novos companheiros. Batia de porta em porta e, educado como sempre, desejava seu bom dia animado, despedindo-se de seus vizinhos com três ou mais livros a rechear a velha caixa de sapatos que levava nas mãos.

Uns entregavam de bom grado, retribuindo o sorriso branquelo, outros, mal abriam as portas.

Benjamim nunca desistia e gostava do que fazia. Seu esforço e boa vontade admiravam Sebastião como nenhum outro.

O velho lhe doava diversos livros de sua antiga biblioteca e nunca se queixava das visitas do menino. Sabia que, ao recebê-lo, estaria ajudando um bom amigo e um verdadeiro respeitador dos livros, assim como ele.

Antigo escritor e professor de música, pois na Cidade dos Livros também havia espaço para as boas canções, Sebastião cuidava de sua biblioteca com muito respeito, tratando dela como se fosse um templo religioso.

Do outro lado da rua, exuberante e mística, ficava a loja de chocolates da Senhora Beatriz. Simpática, sempre muito bem-humorada, ajudava todos aqueles que batiam à sua porta.

Sebastião era seu melhor amigo e, juntos, organizavam tardes de leitura com muita música e alegria. Formavam campanhas na cidade e por diversas vezes no ano, ajudavam nos jogos de leitura na Grande Praça. Eram trabalhadores incansáveis.

A senhora Beatriz também era admiravelmente paciente. Ouvia as histórias de Benjamim com atenção, e com um sorriso doce estampado no rosto, entregava-lhe uma boa dose de chocolate quente e meia dúzia de palavras de incentivo. Conhecia sua dificuldade para leitura, por isso, vez ou outra, escalava um dos seus livros de culinária para ensinar Benjamim, não a fazer uma belíssima torta de creme com avelãs, mas para ensiná-lo a juntar as letrinhas.

Quanta dificuldade! Mas Beatriz não desistia.

Como era cedo demais, nem a biblioteca nem a loja de chocolates estavam abertas. Os amigos de Benjamim também não tinham acordado.

Tudo bem! Pensou o menino, um pouco aliviado.

Quando apareciam cedo demais era porque as 'missões' do dia seriam cansativas e perigosas, e com isso não sobraria tempo para seus livros, que também eram seus amigos.

Atravessando uma das ruas, próximo ao Hospital dos Livros, ficava a gigantesca e fantasmagórica gráfica de livros.

Um vento sinistro arrepiou os pelos da nuca de Benjamim.

Depois de um misterioso incêndio, que durou quase o dia inteiro, os donos da gráfica desistiram de reconstruí-la, o que deixou todos os moradores da cidade muito tristes. Ela era um importante ponto de encontro para vendas, trocas e cafezinhos.

Nicolas contava que seus pais se conheceram lá, mas que hoje estava assombrada. E, então, querendo passar pela calçada o mais rápido possível, Benjamim virou outra esquina e pegou um pequeno atalho.

Em frente a ele, desta vez, erguia-se uma imponente e charmosa mansão, que pertencia ao prefeito Bonanza. E logo mais adiante havia uma menina que lhe acenava com grande entusiasmo, próxima a Grande Praça.

Era Ariane.

— Benjamim! — chamou ela, mostrando alegria. Tinha os cabelos louros escondidos por um pano rosa e usava um curioso avental sujo de terra. — Estava indo buscar você.

Ele sentiu um leve aperto no coração e, por alguns segundos, a respiração faltou.

Aquilo só podia significar mais um plano escabroso. Estava com medo de perguntar o porquê de tanta pressa, então agarrou os livros contra o peito e sorriu em silêncio para a amiga.

— Eu sei que ainda é um pouco cedo — admitiu a menina. — Acordei há pouco para ajudar minha mãe no jardim. Aproveitei também para pentear a Ritinha. — Ariane puxou de dentro do largo bolso do seu avental, uma pequena boneca toda remendada, com olhos de botão e cabelos de lã. — Mas o bom é que o encontrei. Preciso falar um assunto importantíssimo com você.

Benjamim engoliu em seco.

Ariane prosseguiu:

— O novo prefeito da cidade vai dar uma festa em sua mansão hoje à noite, para amigos e familiares, para comemorar sua estranha vitória nas eleições — Benjamim concordava com a cabeça — e Clarice nos disse que ele está planejando falar sobre, nada mais nada menos, do que a chegada do Encantador de Livros na cidade. E tudo indica que o próprio Encantador de Livros vai estar na festa.

— Vai ser um desastre se nos descobrirem lá! — disse Benjamim.

— Tem razão, mas não podemos perder essa chance de encontrar com ele. Imagine. Será fantástico! Todos sempre falaram maravilhas sobre ele, histórias fascinantes. Minha mãe disse que eu era muito pequena, quando ele fez um livro voar diante dos seus olhos. Isso não é fantástico? Dizem que a alma dele é feita de letras.

Os olhos de Benjamim brilhavam, mas as pernas continuavam a tremer.

— Só que Clarice está maluca! Não vamos conseguir entrar na mansão. Tem muitos guardas e, com certeza, não será permitida a entrada de crianças na festa.

— Ela já providenciou algumas roupas. Será fácil — avisou a menina, com um sorriso maroto. — Serão muitos convidados para uma mansão só. Passaremos despercebidos. E, por via das dúvidas, temos o plano B.

— Nunca gostei do plano B — resmungou o menino.

— Pelo amor de Deus, Benjamim! Nem a Ritinha tem medo dessas coisas.

— Eu só vou por causa desse... desse homem aí...

— Ele é o Encantador de Livros — disse Ariane, num tom sonhador. — Não nos arrependeremos. O que acontecer vai ficar para a história de nossas vidas. Escreva isso! Depois de anos ouvindo seus feitos maravilhosos, terei finalmente a oportunidade de vê-lo. Será FANTÁSTICO!

Benjamim só queria entender o que os livros diziam para ele, só isso. Entretanto, seu gosto por eles crescia e seu porão, cada vez mais recheado de aventuras e papel, era um lugar ainda mais encantador.

Ele era apaixonado pelos livros, porém não sabia ler. Quem sabe o Encantador de Livros não pudesse mudar essa história?

3

— Para isso, subiremos na grande árvore que fica no beco escuro, atrás da mansão. Abriremos a janela e entraremos pela biblioteca do prefeito. Será fácil!

— Eunice vai me matar! — exclamou Benjamim com as mãos na cabeça, de olhos arregalados para a fria Clarice, que explicava o plano com muita calma e inteligência, tanta inteligência que o assustava.

Ter medo de Eunice era normal. Mulher de pouco temperamento, madrasta de Benjamim.

Ao contrário de muitos, não gostava de ler. Dizia perder tempo com coisas mais importantes, 'coisas de adulto'. Não tinha tempo para sorrir nem para passear no bosque, nem em nenhum outro lugar que Benjamim gostava. Por isso, na maioria das vezes, ele saía sozinho. Entretanto, sempre respeitando os horários impostos, antes dela sair para trabalhar na casa de algumas madames na outra cidade. E se caso Benjamim não respeitasse os horários, ela era capaz de sair pelas ruas com uma vassoura em punhos, gritando seu nome.

Detestava vê-lo metido com 'aqueles' seus amigos. Só serviam para atrapalhar seus cochilos de domingo.

Eunice era uma mulher alta, muito magra e de olhos fundos encovados. Seus cabelos eram arrepiados e gel algum dava jeito. Era muito velha e sua voz, cada vez mais grave, assustava as crianças que ousassem se aventurar próximo à sua casa. Não aturava criança intrometida. Não aturava ninguém fofoqueiro, apesar de gostar de uma boa fofoca. Adorava respeito, mas não se interessava em respeitar.

— Não se preocupe! Ajudaremos você com sua madrasta — disse Clarice, ajeitando seu estilingue azul.

Desistir daquilo tudo já era impossível. Uma vez dentro, jamais fora, esse é o lema daquela menina ruiva de sardas no rosto.

Clarice dizia tudo com muita calma, com jeito de quem já havia vencido a batalha. Era ágil e pensava rápido demais. Acompanhar seus planos chegava a ser um tanto assustador.

Para Benjamim, aquilo podia ser fatal, mas o irmão de Clarice, André, sempre tinha cartas nas mangas. Nenhum adulto conseguia alcançá-lo, tanto no raciocínio quanto nos passos. Em vez de um poderoso estilingue, carregava um largo saco preto, de tamanho e peso questionáveis.

— Para entrarmos e não sermos descobertos vamos nos transformar. As roupas estão com André. Precisamos ser rápidos, já está quase na hora.

André pôs o grande saco no chão e ali mesmo, num dos becos próximos à mansão, vestiram roupas de gala, joias e outros apetrechos, todos capturados do guarda-roupa dos pais de Clarice e André.

De terno e gravata torta, Benjamim calçou um belo sapato, extremamente engraxado, e enquanto Clarice terminava de passar mais informações, Nicolas se exibia com 'seu' relógio de ouro.

— Sejam gentis. Cumprimentem sem medo. Sintam-se seguros ou seremos descobertos. André, coloque esse chapéu. Perfeito! — dizia entusiasmada. — E não esqueçam que estamos indo ver o Encantador de Livros, o homem que toda a América conhece, toda a África já o viu. Ele é uma lenda. Ele é o mais importante dos contadores de história que esse mundo já viu. Como dizia minha avó: "Esse homem, sim, possuí mágica na ponta da língua e na ponta dos dedos." — Ajeitou a gravata de Benjamim e continuou: — Com ele os livros ganham vida, literalmente, as férias são eternas e, nós, meros mortais, somos felizes até a ponta do dedo miudinho do pé.

Seria a leitura algo que lhe pudesse atribuir poderes mágicos?

Benjamim queria experimentar, sentir esse grande prazer, mas precisava frear sua curiosidade ou, então, acabaria revelando seu maior segredo. Não queria virar piada entre os amigos.

— Não precisa ficar nervoso, Ben — disse Ariane, de repente, notando a preocupação do amigo. — Vamos levar você para casa. Assim, a tia Eunice não briga só com você.

Dito isso, colocou um longo vestido amarelo por cima da roupa que já estava usando, ajeitou o cabelo e colocou Ritinha dentro de uma bolsa pequena.

Todos estavam prontos.

— Agora, chega de lengalenga! Vamos, antes que seja tarde demais — concluiu Clarice.

Ajeitando o último botão da roupa, a muito contragosto, Benjamim seguiu os demais numa fila que ia até a esquina seguinte. Os lampiões da cidade começaram a acender e uma movimentação repentina, de adultos bem vestidos, pôde ser percebida na rua adiante.

O estômago de Benjamim latejava. Sentia-se perdido e a cada olhada de soslaio para os cantos, a desconfiança de que algo iria sair errado aumentava ainda mais.

Tranquila, Clarice caminhada e falava com todos, como se aqueles estranhos fossem conhecidos de longa data. Colares de pérolas, anéis caríssimos, sapatos de couro e chapéus de pluma, desfilavam a todo o vapor por eles.

Ariane retribuía todos os olhares feios que alguns lhe atiravam.

— Povo estranho — ela disse em voz alta. — Estão pensando que o dinheiro compra tudo. Aposto que não sabem aproveitar a vida.

— Muitos desconhecem o belo prazer de ser simples e humilde — respondeu Nicolas, por pouco não pisando no vestido de uma bela senhora rechonchuda que cruzou sua frente.

Benjamim não tinha resposta para nenhuma pergunta direcionada a ele. Sua língua, assim como metade do seu corpo, parecia querer parar ali mesmo em meio aquela confusão de braços e pernas enfeitados.

O sufoco só não foi maior porque entraram numa ruazinha estreita, onde havia uma imensa árvore, que servia de ponte para uma janelinha de madeira que ficava bem lá no alto, onde entrariam para a biblioteca do prefeito Bonanza.

O estreito espaço era úmido, escuro demais para se enxergar adiante. Ninguém passava por ali e, por isso, era tomado por um silêncio um tanto hostil.

Imediatamente, André puxou uma imensa corda grossa de dentro de sua sacola preta. Nas duas pontas havia ganchos grandes de metal, fortes o suficiente para aguentar o peso de todos.

— O galho próximo à janela não será forte para todos nós. Por isso, vamos colocar um gancho num galho mais grosso e o outro na janela — avisou o menino.

— Acho que não vou conseguir, podemos cair — disse Benjamim, encolhendo-se como se estivesse sentindo bastante frio.

— Se entrarmos pela porta da frente, os guardas vão nos ver e seremos rapidamente descobertos — explicou Clarice. — Quer entrar pela porta da frente?

Benjamim não respondeu.

— Vamos! Vai ser divertido. Depois vamos rir de tudo — disse Ariane, alegre.

Muito tranquilizador, pensou o menino.

De repente, ouviu-se um estrondo vindo de perto. Todos olharam. André encaixou o gancho perfeitamente na janela, sem precisar fazer duas vezes a mesma tentativa. Colocou o outro gancho numa fenda da árvore. A corda ficou esticada. Era só montar e ir até o outro lado.

André pegou velocidade e correu até a árvore, dando um salto gigantesco até os galhos. Tudo estremeceu e fez barulho.

Clarice mordeu o lábio inferior. Foi impossível não olhar para os lados, desconfiada.

— Não se preocupem. Vai dar tud...

André não deixou sua irmã terminar de falar, pois já chamava a atenção de todos lá no alto, acima de suas cabeças.

Pendurado na corda, ele foi chegando do outro lado rapidamente, sem se preocupar com o estranho barulho que vinha da árvore.

Chegando ao peitoril da janela, retirou um pequeno clip do bolso e o desfez com agilidade, encaixando-o numa pequena fechadura de prata.

De repente... Click!

O menino levantou a janela e mergulhou numa sinistra escuridão.

Depois de um longo e angustiante silêncio, André chamou os outros, mexendo os braços para o lado de fora.

Imediatamente, foram subindo, um a um. Primeiro Ariane, depois Clarice e Nicolas, e por último, Benjamim.

A grande sala estava escura e muito gelada. O silêncio era quase absoluto, se não fosse pela música e pelas vozes que vazavam pelas portas adiante.

Fecharam a janela devagar e não demoraram a perceber a quantidade de estantes entupidas de livros, formando um sinistro labirinto, espalhadas em trevas.

Clarice deu uma lanterna para cada um e logo se fez a luz.

Os detalhes em madeira, as esculturas espalhadas e os livros empilhados mostravam a grandeza do lugar. Sob suas cabeças, o teto parecia uma imagem viva, cheia de muitas cores, anjos a voar num imenso céu azul. Como se não bastasse, a direita deles se estendia um gigantesco tapete vermelho sobre o chão encerado, que conduzia a uma confortável poltrona cinzenta, de alguns séculos atrás.

Qualquer barulho ali seria como uma terrível explosão.

Benjamim andou na ponta dos pés, com a cabeça voltada para as estantes mais altas. Passou os dedinhos no colorido das capas e tomou um baita susto com uma fileira de livros dourados. Nunca na sua vida havia visto algo parecido. Desejou segurá-los em seus braços, mas não podia. Nada ali podia sair do lugar.

— Lindos, não acha?

Benjamim não morreu de susto por muito pouco. Por causa das roupas de adulto, Ariane parecia uma mulher. Felizmente, ela carregava uma boneca nos braços.

— Nunca mais faça uma coisa dessas! — suplicou Benjamim, trêmulo.

— Vamos em frente! Clarice está chamando — avisou Ariane. — Por pouco você não se perde.

Era verdade. Distraído, afastou-se do grupo sem perceber.

— Você abriu algum desses livros? — perguntou a menina. — Eles são estranhos. Não há figuras, nem letras. Só um monte de folhas, cola e papelão.

Rapidamente, como se nada pudesse acontecer de grave, e realmente nada aconteceu, pegou um dos livros dourados e abriu para certificar-se de que nem todos estavam em branco.

— Engraçado... Esse está impresso.

— Muito estranho... — disse Benjamim, um pouco assustado.

— Bom, vamos deixar isso para trás. — Colocou o livro de volta na estante. — Precisamos ir.

Ariane agarrou o braço no menino e o arrastou de volta até o grupo, reunido no corredor principal.

Algo parecia errado.

Havia uma porta diante deles, que dava para o salão de festas. Mas, sair por ali seria um tanto embaraçoso.

Do outro lado da biblioteca havia uma pequena porta, que levava à cozinha.

— Se entrarmos pela cozinha, não seremos descobertos tão facilmente — falou Clarice. — Vamos, porque a festa já começou e o prefeito já vai se pronunciar.

Sem que os dedos tremelicassem, André enfiou o clip na fechadura da portinha e a abriu. O salão escuro foi logo iluminado pela luz forte da cozinha.

— Por favor, sejam discretos e educados — pediu Clarice. Dando os primeiros passos, ela abriu caminho para os outros, que vinham logo atrás.

Sorriram como nunca antes. Qual bonecos de lousa, os olhos brilhavam, por medo dos olhares desconfiados que os fitavam em meio a correria dos cozinheiros.

Vez ou outra, as panelas cantavam alto, borbulhavam e faziam barulhos estranhíssimos. Algumas sobressaltavam Nicolas, o que fez com que ele esbarrasse sem querer numa vassoura, levando uma das panelas ao chão. Cozinheiros, comins, chef e sous chefe, olharam para o mesmo lugar.

— Deus! — gritou alguém. — O creme de queijo!

Seguiu-se uma acalorada discussão. Homens correndo, colheres, panos, tudo funcionava na mais perfeita confusão. As crianças, passando-se por adultos, pediram desculpas e pularam para outra porta, ou melhor, para a primeira que viram.

O burburinho ecoava por toda sala. Ali, os convidados exibiam seus sorrisos amarelos e suas joias valiosas, debaixo de um brilhante lustre de cristal.

Os garçons desfilavam, sempre parando para enfrentar um ou outro convidado mal-educado. Nas bandejas, carregadas com elegância, bebidas eram servidas e na mesa principal, frutas coloridas davam vida a requintada festa dos ricos.

— Não fiquem envergonhados ou nervosos, senão eles vão desconfiar. André, olho no prefeito! — pediu sua irmã.

Mostrando educação para com os outros, André infiltrou-se num grupo de pessoas, de conversa alta e sorrisos exageradamente falsos. Pedindo licença, conseguiu chegar até outro grupo, no qual o prefeito supostamente estaria.

Clarice aceitava todos os bolinhos que serviam. Bebia o pouco refrigerante da festa e, a intervalos, ia até a mesa para buscar alguma fruta.

Benjamim não se mexia. Muitas pessoas conheciam o Apanhador de Livros, aliás, ele estava quase todas as manhãs na porta de cada um deles. Se ficasse indo de um lado para o outro, com certeza seria descoberto e todo o plano iria por água abaixo.

Ariane, utilizando sua meiguice e inteligência, conversava com um senhor bigodudo a respeito do livro O Guarani, de José de Alencar.

— Cecília era muito boba e fraca — comentava rindo. — Mas Peri era um herói de verdade. Queria que existissem mais homens como ele — e dava um gole de refrigerante, entre gargalhadas exageradas e trêmulas.

— Tem razão, senhorita. Minha mulher sempre foi uma Cecília. Tento ser Peri, mas creio não ser tão forte e corajoso como ele.

Em meio à risada, a menina mal sabia que o pior estava por vir.

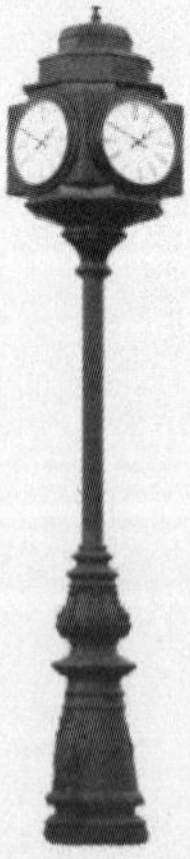

4

O coração de Benjamim apertou. Mais pessoas chegavam à festa. Rostos conhecidos exibiam colares e pulseiras douradas. Rostos de bonecos, sempre com um sorriso malfeito atirado aos amigos do salão. Estavam debaixo de roupas estupidamente extravagantes, ternos engomados, echarpes felpudas. Quem via o menino era fácil dizer que estava à beira de um colapso. Seu rosto embranquecia fora do normal. Se tivesse janelas mais perto, não pensaria duas vezes e se atiraria para fora.

Ariane tagarelava com todos e Ritinha continuava escondida nas suas vestes. Muitos a cumprimentavam com soberba, enquanto outros se perguntavam o porquê de uma criança estar numa festa para adultos. Com certeza, ela fazia parte da família do prefeito, uma sobrinha ou afilhada, quem sabe?

Clarice trocava olhares desconfiados com o irmão, pois Ariane chamava muita atenção e o coração de Benjamim ficava cada vez mais arfante.

Movimentos bruscos no meio do salão. Não, não eram os guardas, nem o prefeito. Alguns convidados arriscavam passos de dança.

Antes que Ariane se aprontasse em direção aos casais mais animados, Clarice aproveitou e a arrastou para perto de si. O relógio corria depressa.

Um homem corpulento, quase sem pescoço, atravessou o salão qual um pavão. Nariz fino empinado para o alto, cabelos negros brilhantes. Sua barba negra lhe deixava parecido com um urso. Com uma firmeza sem igual, virou-se para os convidados e abriu um sorriso de orelha a orelha. De longe, era o mais elegante da festa, o mais cheiroso, o mais importante. Era Bonanza, o prefeito da Cidade dos Livros.

Palmas empolgadas encheram o salão.

— Obrigado! — disse, cheio de pompa. — Boa noite, caros moradores e amigos da nossa tão querida cidade! Os convidei essa noite para que recebam uma maravilhosa notícia. Como todos já sabem, estamos comemorando a chegada daquele que sempre mudou o modo de ver e de se viver nesta cidade — falava o prefeito, com um sorriso desagradável. — Daqui em diante, tudo mudará novamente e para melhor.

Todos aplaudiram, entusiasmados.

— O Encantador de Livros está próximo e, como sempre, trazendo suas mágicas baratas. Ensinou-nos a acreditar no impossível, a gostar até mesmo dos livros. Desta vez, trará inovações esplêndidas. Peço, sinceramente, que esqueçam os livros bobos, que ensinam sempre o que não devem. Chega de mentiras! — Agora, sua voz tornava-se pesada e mais imponente. — Essa fantasia chula está dominando a nossa cidade. Heróis e princesas não são reais e não existe essa magia toda. O que existe é a tecnologia. Novos produtos serão construídos e colocados nas vitrines, livros sem essas tolices fantasiosas também chegarão. Tudo irá melhorar. — Muitos se entreolharam insatisfeitos, enquanto outros davam vivas a Bonanza. — Nossa cidade está cada vez mais pobre e exige de nós algumas novidades. Desejando mudar os rumos da economia da cidade, chamaremos o Encantador de Livros para nos ajudar a pensar melhor e ficarmos mais ricos.

Sentindo-se um tanto desconfortável, Ariane reuniu os amigos. Nada disseram. Estavam todos calados, enquanto Bonanza deliciava-se com o silêncio fúnebre do ambiente.

Benjamim não gostava nada da alegria daquele homem. Incomodava demais. Nicolas segurou suas lágrimas. Não acreditava que toda a fantasia um dia pudesse ter fim. Queria um minutinho a mais com o Encantador de Livros, não queria que tudo terminasse assim. Alguém precisava parar o prefeito.

— O que o senhor disse não faz sentido algum — protestou um senhor de longas barbas brancas, no fundo do salão. — A fantasia é a energia que movimenta a criatividade e sem ela, nenhum livro é escrito e cidade nenhuma ganha lucro.

— Ora, Antônio! Quem gosta de viver de mentiras? — indagou, expulsando o sorriso bobo do rosto. — Prometo que farei o possível para que essa cidade se veja livre das histórias inúteis. Vou construir um lugar mais rico e próspero intelectualmente.

— O senhor está nos chamando de burros?! — perguntou uma senhora, indignada.

— Não, minha cara. Só estou dizendo que a quantidade de livros inúteis nesta cidade é bastante grande e prejudicial para nossa economia. Os novos produtos, livros e máquinas serão melhores, garanto. O Encantador de Livros deverá mudar sua estratégia de pedagogia para com os moradores. Onde está nosso espírito de renovação?

— Se tiver que renovar, renove para melhor, senhor prefeito! — disse uma voz um tanto conhecida de Benjamim. Quando os demais convidados, mais próximos de Bonanza, olharam para trás, depararam-se com uma pequena senhora de bochechas rosadas. Era Ariane. — Os livros bobos também ensinam muito. A fantasia nos revela a verdade que muitos adoram esconder. O senhor não pode mudar o trabalho de tão importante figura para a cidade. Ele se formou em nossas escolas e é o maior contador de histórias do mundo. Ele trabalhou anos para o progresso deste lugar, tanto quanto o senhor.

— Eu amo esta cidade por causa do Encantador de Livros — disse outro homem.

A agitação na sala estava incontrolável. Muitos deixaram a festa, outros pegaram alguns salgadinhos e também se despediram. Nicolas estava à beira das lágrimas. Ninguém aceitava a ideia de Bonanza. E num ato impensável, que ninguém previu, uma pessoinha se aproximou do prefeito e cuspiu aos seus pés.

Imediatamente, o silêncio voltou ao salão.

— Quem lhe deu autorização para fazer isso, menina? — indagou Bonanza, com as bochechas vermelhas de tanto ódio.

Sem um pingo de medo, Ariane deu passos à frente e encostou seu dedo indicador na ponta do enorme nariz do homem.

— Não preciso de autorização!

Algo deslizou por sua roupa e fez um baque ao atingir o chão. Quem estava ao redor abriu a boca num "O". Era Ritinha, estatelada no assoalho frio e duro.

— Céus, que horror!

— Aquilo é um bebê?

— Quem é a menina?

Ariane agachou-se sem demora e buscou sua boneca, colocando-a de encontro ao peito. Suas mãos ficaram frias ao fitar aquelas pessoas com os olhos maiores do que os da Ritinha.

— Uma criança na minha festa! — berrou Bonanza. — Seguranças, tirem-na daqui!

— Não se atreva! — Clarice gritou, esbarrando em duas pessoas à sua frente.

Atrás dela, André apontava seu estilingue para a grande pança do prefeito. E, então, como que por lealdade, Nicolas se postou ao lado de Clarice, deixando, por descuido, Benjamim exposto aos convidados da festa.

O Apanhador de Livros, sem medo de ser reconhecido, também ficou junto aos amigos.

— Onde está o Encantador de Livros? — perguntou André.

— Não é da sua conta, moleque!

O prefeito olhou as crianças sem saber o que fazer. Para sua surpresa, estava nervoso e ofegante. Os convidados não se moviam, à espera de algo mais emocionante para acalorar ainda mais a noite e as fofocas do dia seguinte. Bonanza respirou fundo.

— Nesta manhã — começou —, recebi uma carta do nosso ilustre Contador de Histórias. Em poucas linhas, disse-nos que estaria o mais breve possível na cidade.

— Mentira! — gritou Nicolas.

— Como assim, mentira? — bufou o homem.

— Não confio no senhor. Ele está aqui, em algum lugar. Ele nunca manda cartas. Ele vem como mágica, sem aviso.

Mais vermelho do que antes, o prefeito mergulhou sua mão enérgica dentro do bolso da calça, puxando um envelope amarelado e amassado. Teve a impressão de que a multidão se aproximava e crescia misteriosamente.

— E, então? O que acha? — Riu. — Leia! Leia menino! — Bonanza, com sua arrogância peculiar, colocou a carta nas mãos de Benjamim. — Não é uma maravilha?

O menino abriu o envelope e consertou os óculos no rosto para enxergar melhor os estranhos códigos gravados na folha amarelada do papel. Com a carta perto do nariz, as letras gravadas ali eram mortas, sem vida.

— Leia, garoto! — insistiu o homem. — Leia, agora!

Borrão. Eram nuvens de chuva, tão negras, medonhas. As letras dançavam, estremeciam como suas pernas. Nada entrava na sua cabeça, apenas a confusão, o silêncio que lhe arranhava o coração e o papel morno nas mãos.

Engoliu em seco. Forçou os olhos para disfarçar a demora. Culparia os óculos? Sim. Escaparia disso de uma vez. Todavia, lutava para olhar para os lados, para ao menos largar aquela 'bomba'.

Que cola era aquela, gosmenta, que fazia com que seus dedos não desgrudassem do papel?

Tentando se concentrar, abaixou os olhos para a carta. Perigo. Vergonha. Suas orelhas queimavam. Por um instante, sumiu do mundo. Era apenas ele e a carta.

"Fale comigo", pediu.

Inventou palavras que, talvez, estivessem gravadas no papel. Não adiantaria. Vergonha. Culpar os óculos não seria bom. "Eu não sei ler", repetia a si mesmo.

Não sabia ler, mas amava os livros. O Apanhador de Livros não sabia ler.

— Não consigo — disse Benjamim.

Bonanza sorriu de forma estranha, como que desconfiando de algo.

Imediatamente, antes que algum adulto pudesse puxar a carta, Ariane pôs-se a ler a mensagem escrita. Suas mãos tremiam.

A carta dizia:

Direciono esta mensagem a todos os amantes de livros, que nesta admirável cidade residem.

Minha estadia será curta, porém, recheada de alegria e de muita magia, para que os dias nebulosos de preocupações se esvaiam perante os olhos aflitos dos irmãos e irmãs, pais e filhos. E minha chegada se dará em breve, assim que meus livros estiverem prontos para os novos leitores e admiradores.

Confesso que, desta vez, haverá muitas novidades. As ruas se inundarão de sorrisos, as crianças voarão no grande livro alado e todos serão contagiados pelas letras flutuantes.

Viva a magia! Viva a leitura! Viva os livros!

O Encantador de Livros

Ao término da leitura, o salão foi recheado por uma aura de alegria e excitação. Os adultos viraram criança novamente. Relembravam, cheios de empolgação, as façanhas fantásticas do mágico das palavras. Sem dúvidas, o melhor momento da noite. E Benjamim, contagiado pela esperança, capturou todos os comentários positivos, confiante de um dia poder viver pelo menos metade de todas aquelas boas experiências ouvidas naquele momento.

O burburinho se prolongava e a raiva do prefeito aumentava. Bonanza, então, puxou a carta das mãos de Ariane. Esta puxou a carta de volta, sem adivinhar que a rasgaria. Ouviram-se mais exclamações negativas ao redor.

Recompondo-se, vermelho igual a um tomate maduro, Bonanza gritou para os seguranças, sob o protesto dos convidados.

Ariane nada fez. Clarice planejava, velozmente, mais um plano. André não sabia para qual direção apontar seu estilingue. Uns e outros se afastaram e grandes chapéus toscos, feitos de livro, apareceram sambando no cocuruto da segurança, que formava uma roda para não deixar as crianças fugirem.

Entre ser pego e escapar, claro que a segunda opção era a favorita, mas não havia muito o que fazer.

— Mande-os para suas casas e quero que seus pais fiquem sabendo de tudo. Desejo uma boa surra! — berrou Bonanza, andando depressa de um lado para o outro, balançando sua enorme pança e enchendo a boca de suspiro.

O círculo de seguranças começou a se fechar. As crianças se sentiam tal qual um coelho. Nenhum deles se movia, ainda que estivessem pensando nas mesmas coisas e tremelicando da cabeça aos pés.

Apesar dos muitos comentários negativos acerca da cena, nada nem ninguém tentou impedir os brutamontes.

Benjamim já podia sentir a enorme mão de um daqueles homens esmagando seu braço, enxotando-o para fora, ridicularizando-o pelo o resto da vida. Ninguém mais lhe daria livros, nem abriria a porta de casa para recebê-lo.

Então, tudo se calou.

Uma forte luz brilhou intensamente sobre as crianças. Quanto mais alguém se aproximava, mais intensa ficava.

No instante seguinte, transformou-se misteriosamente em um rodamoinho, fazendo barulhos estranhos de sucção. A luz continuou girando e girando, cada vez mais rápido. E, num clique, seguido de um baque, todos os seguranças foram expelidos para trás.

Muitos começaram a gritar. Ninguém jamais havia visto algo semelhante e custaram a acreditar, quando perceberam que depois daquilo tudo as crianças tinham desaparecido.

5

Benjamin abriu os olhos e levantou-se como um relâmpago. Estava em casa, deitado no sofá, com medo e com a lembrança da estranha sensação que experimentou, no momento em que a luz misteriosa lhe encobriu como um manto.

Suas mãos correram rapidamente pelo corpo. Tudo estava no lugar, menos as roupas bonitas usadas na noite passada.

Noite! Já era dia e o sol estava quente. Tudo passou tão rápido... Onde estariam seus amigos? E quem seria a pessoa que o trouxera de volta?

O menino correu os olhos pela casa. Não sentiu cheiro de café. Não escutou ninguém falando. Silêncio total.

Procurou Eunice na cozinha. Nada. Procurou Eunice no quintal. Nada. Voltou para a sala quando, de repente, tropeçou em algo no chão. A coisa gritou:

— BENJAMIM!

Era Eunice, que dormia. Olhos fundos e cabelos enrolados em bobes enormes e coloridos. Ela agarrou a perna do menino e o puxou para mais perto de si.

— Onde esteve na noite passada, moleque? — foi logo falando. — Por pouco não chamo a polícia.

— Eu... eu estava na casa do... do Nicolas. Ficamos lendo até anoitecer e acabamos esquecendo a hora — respondeu sem respirar.

— Acabei dormindo de tanto esperar. Precisava acordar cedo. Hoje tenho tanto trabalho para fazer na casa daqueles ricaços... Eles não têm horário, Benjamim. Nós temos, entendeu?

— Sim, isso não vai acontecer de novo.

— Fiquei desesperada. Procurei você na biblioteca, fui ver se não estava com aquela bruxa, e nada — Eunice se referia à bondosa Beatriz.

Aos poucos, começava a se acalmar. Não era o tipo de pessoa que se podia enfrentar. Dificilmente aturava a vizinhança fofoqueira, até mesmo as crianças preferiam passar bem longe dali para evitar confusões.

Era uma mulher determinada. Trabalhava muito, vivia para o sustento de sua casa. Não tinha tempo para criancices. Entretanto, apesar de toda aquela aparência maltratada, tinha um bom coração.

Diante de toda batalha diária, ganhava menos do que merecia por várias horas de trabalho. Varria, lavava e passava, era o que sabia fazer e muito bem. Saía para se divertir, pelo menos uma vez ao ano, o que era muito.

Benjamim não reclamava, pois no seu aniversário, reuniam-se os dois numa lojinha perto de casa para comerem uma torta bem recheada de doce de leite e conversarem durante toda a tarde, apesar de Eunice não ter paciência para suas histórias mirabolantes. Eram os únicos momentos em que se podia vê-la sorrir como criança novamente.

Vez ou outra ajudava quem estivesse passando por necessidades. Não com dinheiro, pois esse era pouco, quase nada, mas sim com palavras de conforto, apesar de duras, às vezes. Conseguia resolver os problemas como ninguém. Está certo que nós não podemos julgar o livro pela capa e Eunice era um exemplo.

Anos atrás, estendeu suas mãos para o homem que mudaria sua vida para sempre. Viúvo, o pai de Benjamim passava por dias complicados. Depois de semanas, sumira misteriosamente, sem deixar carta ou bilhete. Suas roupas tinham desaparecido, suas malas também, menos a criança. Eunice o aceitou como um filho, apesar da enorme dor por ter perdido o homem que mais amou.

Sem saber que o pai o havia deixado, Benjamim cresceu como uma criança normal, tendo Eunice como mãe, apesar de sempre deixar claro para o menino sua condição de madrasta.

Naquela manhã tímida de verão, Eunice correu para a cozinha a fim de fazer uma torrada mal torrada e requentar o café. Rápida, colocou dois pães na frigideira, amassou-os duas ou três vezes e os pôs, em seguida, em um prato qualquer.

— Vamos, vamos, vamos! Senão, chegarei ao trabalho mais uma vez atrasada — apressou a mulher, retirando o café do fogo e o despejando numa caneca mal lavada.

Benjamim pegou dois ovos na geladeira e os jogou na frigideira, quase com casca e tudo. Como de costume, atrapalhou-se e esparramou leite sobre a pia, o que imediatamente causou tosses desesperadas em Eunice.

— *Quandu eu vouta queru ve tudo limpu*! — disse a madrasta de boca cheia.

Engolindo o café ainda quente, Eunice ajudou o menino a terminar o que estava fazendo e ainda correndo, buscou o jornal na porta de casa.

Quem se engasgou com o pão dessa vez foi Benjamim, ao avistar, estampando na primeira página do Caderno de Notícias, a foto de Bonanza de muito mau-humor. Não precisava saber ler para entender o que o jornal avisava na manchete.

Deus! Estaria seu nome na notícia principal daquele dia? Eunice jamais poderia ficar sabendo daquela confusão.

— É melhor deixar para ler depois. Você vai se atrasar — avisou o menino com o coração na mão, vendo a madrasta folheando o jornal.

— Quer saber de uma coisa? No caminho vou lendo.

— NÃO! — Benjamim gritou, dando um susto bem grande na madrasta. — Eu quero ler também — mentiu.

— E desde quando você se interessa por jornal?!

— Desde hoje! Gostei das figuras.

Eunice lançou um olhar fumegante ao garoto, sentando num banquinho tosco de madeira, perto da porta da cozinha.

Qualquer gesto de fúria da mulher, ele poderia correr mais rápido para a sala e da sala para a rua. Todo cuidado era pouco, mas valia à pena.

Perdendo a paciência, Eunice caçou a parte que mais lhe interessava e entregou a maior parte do jornal ao menino.

— Esses cretinos querem acabar com o meu dia — disse, crispando os lábios. — Esse horóscopo está cada vez menor. *"Saturno alerta para uma surpreendente irritação. Controle a agressividade. Não se lamente!”* E blá, blá, blá. Irritação? Estou calmíssima! — Amassou a página e jogou pela janela.

Há quem imagine que Benjamim ficou aliviado por ter capturado aquele resto de jornal. Mas está enganado. O menino continuava com a cabeça recheada de imagens da noite passada. Tentava a todo minuto se lembrar de como havia se transportado para o sofá da sala.

Aquela luz azul surgiu repentinamente e sugou todos os seus amigos, incluindo ele. Sentiu-se como se fosse arremessado no nada por um estilingue gigante. Precisava se encontrar com Ariane imediatamente e saber se Nicolas, Clarice e André passavam bem.

Sem que Eunice pudesse ver, ele retirou a página do Caderno de Notícias de dentro da roupa e correu os olhos nas outras páginas, a procura de fotos que pudessem comprometê-lo. Por sorte, não havia nenhuma. Porém, nada era pior que a ideia estapafúrdia de Bonanza. Banir os livros de fantasia da cidade era um atentado contra a felicidade. Se esse tal de Encantador de Livros for bom mesmo, como Clarice falava, ele seria o primeiro a não concordar com um plano desses.

E se o povo aceitasse a ideia? Não seria tão fácil ir contra Bonanza. Sem histórias bonitas, de fantasia e contos de fadas, tudo se tornará sem graça.

Assim que Eunice voltou sua atenção para Benjamim, ele imediatamente escondeu o pedaço de jornal mais uma vez dentro das vestes. Ela terminou de tirar os bobes do cabelo e ajeitou a bolsa nos ombros, dizendo rispidamente:

— Quando eu chegar quero vê-lo dentro de casa, entendeu? Nada de ficar com aquela bruxa e aqueles pestinhas.

Ele respondeu positivamente com a cabeça. Esperou a madrasta sair, fechando a porta atrás de si, e aguardou o silêncio rechear a casa. Pôs os chinelos nos pés e saiu.

Descabelado, como de costume, visitou algumas ruazinhas e passou por muitas pessoas com os rostos enfiados em seus livros. Seus olhos, atrás das lentes de vidro, percorreram cada cantinho.

Onde estaria Ariane? Será que viu o jornal? Com certeza a manchete principal abordava o assunto da noite passada, mas até o momento em que avistara Sebastião, ninguém lhe lançara um olhar de espanto ou indagação.

Sebastião tomava conta da biblioteca mais conhecida da cidade. Benjamim sempre o avistava no mesmo lugar e fazendo as mesmas coisas. Limpava livros, arrumava livros e bebia seu café em rápidos intervalos, com outros tantos livros debaixo dos braços.

O homem usava um chapéu coco e um casaco preto. Apesar do verão, a manhã estava bem fria.

— Bom dia, Sebastião! — gritou o menino, do outro lado da calçada.

— Bom dia, Apanhador de Livros! — respondeu em tom alegre. — Se me permite adivinhar, o senhor procura por sua amiga Ariane?

— Sim — disse Benjamim, desconfiado. — O senhor sabe onde posso encontrá-la?

Sebastião tirou a poeira das mãos.

— Ariane passou por aqui procurando pelo senhor também. Pedi para que fosse até sua casa, mas ela me parecia um tanto assustada e mal sabia me dizer a data de hoje. Posso ajudar em alguma coisa?

De repente, Benjamim tomou um grande susto. Antes de deslizar para a rua seguinte, algo estranhamente fofo atingiu sua cabeça. Algo muito fofo e muito pesado. Era Ritinha.

De uma viela, bem atrás dele, surgiu uma voz que quebrou o silêncio:

— Precisamos conversar. AGORA! — gritou Ariane.

Nicolas, André e Clarice lhe esperavam também.

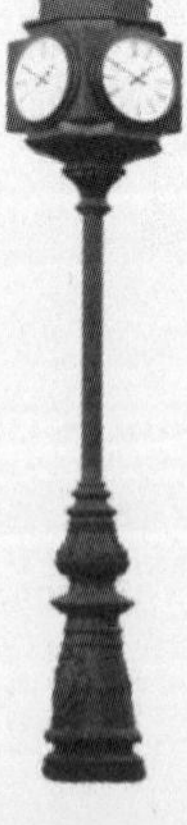

6

A manhã daquele dia pareceu ficar mais quente, apesar do vento frio que soprava de encontro as vidraças da janela da casa de Benjamim. O clima entre os amigos continuava estranho e nem Clarice sabia exatamente onde toda aquela conversa iria chegar. Entraram na casa falando baixo, com medo da presença de Eunice.

— Não se preocupem, Eunice já foi trabalhar. Estamos sós.

Benjamim abriu caminho para que os amigos pudessem conversar no quintal de trás, onde a areia era vermelha e uma árvore de frutos estranhos crescia sem parar. Em seu mais forte galho, balançava uma corda, amarrada em um pneu velho.

Ignorando a borracha fria, Benjamim sentou-se nela e olhou para os amigos, esperando que falassem.

As vozes baixas continuaram. Havia casas ao redor e o céu azul, encoberto por poucas nuvens, dava-lhes a luz para a reunião.

— Se ele acha que a cidade ficará feliz com essa surpresa — disse Clarice ironicamente —, está muito enganado. Não vejo graça alguma em livros sérios, cruéis ou em tecnologias de mau gosto. Que tipo de livro ele vai nos trazer daqui para frente?

— Um livro sem letras ou sem título — respondeu Ariane, revoltada.

Benjamim concordou com a cabeça, lembrando-se do episódio na escura e fria biblioteca do prefeito.

— Eu e Ariane estávamos dando uma olhada nos livros da biblioteca de Bonanza e vimos alguns sem letras. E havia outros sem autor ou sem título...

— E se contarmos para todos sobre esse plano sujo do prefeito? — sugeriu Nicolas.

— É perigoso — respondeu André. — Bonanza pode expulsar a gente da cidade e eu não quero sair daqui.

— Ora! Mas as pessoas vão saber de um jeito ou de outro. E, com certeza, ele não vai poder colocar a culpa na gente — observou Clarice, confiante de sua própria lógica.

— Então, vocês não sabem o que foi publicado no jornal de hoje? — soltou Benjamim, de repente.

As quatro crianças voltaram seus olhos para o menino.

Imediatamente, curioso para saber algo mais, Benjamim empurrou o Jornal da Manhã amassado para fora das vestes e virou a primeira página para os amigos, a fim de que todos pudessem enxergar a cara emburrada de Bonanza, impressa em preto e branco.

Nicolas varreu as páginas com os olhos e se reunindo a ele, André, Ariane e Clarice fizeram um círculo ao redor de Benjamim. Seus corações tamborilavam fora de compasso, enquanto seus olhos pareciam saltar das órbitas.

Benjamim permaneceu no lugar feito uma estátua, ansioso para saber se seu nome estava escrito ali.

Nenhum dos quatro deixou letra alguma escapar de suas vistas.

— Ele não diz nada.

— Nada?

— Só estão falando sobre o encontro do prefeito... E aqui diz — apontou Nicolas no jornal —, que foi apenas para conversarem sobre a futura visita do Encantador de Livros à cidade. Mentirosos! — esbravejou. — Você não leu?

— Claro que li! — mentiu Benjamim. — É que não estava entendendo muito bem.

— Eles preferiram omitir o caso — disse Ariane, pensativa.

Nada escoou para fora dos muros da casa de Bonanza, nem mesmo uma só palavra sobre a enigmática bola de luz azul que os sugou e os colocou em suas camas.

Dessa maneira seria mais fácil lidar com a situação, Benjamim pensou. Foi tão estranho... Uma noite confusa demais para ser reportada por um bando de pessoas que não acreditavam em nenhum fenômeno que fosse além de suas ciências vãs.

— O mais estranho disso tudo é que nenhum convidado da festa falou aos jornais sobre o que aconteceu naquela mansão. Fomos transportados para nossas casas por uma luz azul. A única pessoa capaz de fazer algo semelhante é o próprio Encantador de Livros, vocês não acham? — Nicolas podia sentir sua fé crescer.

— Então, era tudo mentira — disse Ariane, dando um gritinho de alegria. — Bonanza mentiu! O Encantador de Livros esteve lá.

— E de que lado ele estava? Do prefeito ou do nosso? — indagou Benjamim, preocupado.

Ninguém mais sorriu.

— Não é possível que esteja com Bonanza, por mais que sejam amigos ou pareçam amigos. Acho que o Encantador de Livros estava sendo obrigado a se esconder. — Clarice parecia um tanto confusa. — Caso se manifestasse na festa, ele poderia ser punido severamente. Tenho certeza!

— O Encantador de Livros está com a gente. Ele está nos protegendo. Não conheço esse homem, não faço ideia do poder que ele tem, mas sei que ele é mágico e isso muda tudo. Quero tanto conhecê-lo! — disse Benjamim, cheio de esperança.

— Se há alguém nessa cidade em quem nunca vou confiar, é no Bonanza. Ele sempre está fazendo algo para piorar tudo. Nunca imaginei que ele pudesse mexer na coisa mais importante da cidade, nem mesmo com aquele que dizia ser seu amigo — falava Ariane, buscando dentro da bolsa um pente que desse jeito nos cabelos enrolados de Ritinha. — Não podemos ficar de braços cruzados e deixar uma coisa dessas passar.

— É arriscado demais.

— O quê?

— Arriscado — repetiu André. — Ele pode nos expulsar da cidade, caso descubra nossos planos.

— Irmão querido! Ele não vai nos expulsar. — Clarice retrucou. — O escândalo já estará à solta. Se for assim, ele terá que expulsar a cidade inteira. Até saber quem foi o responsável pelo motim, será tarde demais. Ninguém vai concordar com suas ideias.

— Não quero atrapalhar o Encantador de Livros — interrompeu Nicolas. — Só não quero vê-lo longe da cidade. Se fizermos alguma coisa que possa expulsá-lo daqui, iremos falhar... com todos. — Nicolas estava com razão. — Ele precisa aparecer! Se isso acontecer ficará mais fácil, porque ele poderá explicar tudo.

— No jornal está escrito que ele chegará manhã — explicou Clarice. — Vamos esperar.

— Mas eu não consigo parar de pensar em Bonanza — confessou seu irmão, andando de um lado a outro, de cabeça baixa e braços para trás. — Aquele homem é capaz dos mais absurdos planos para vir atrás da gente.

— O importante é pensarmos numa maneira de atacar Bonanza e não de escaparmos dele — declarou Clarice.

De tanto ler livros de suspense e mistério, Ariane se sentiu na pele de um dos espiões que mais gostava. Talvez, essa fosse a hora de colocar seus melhores planos em ação. Sua inteligência permitia construir os mais engenhosos instrumentos de combate para pregar peças nos adultos mais intrometidos.

Nicolas gostava de espionagem. Sua inteligência era primorosa como a de André.

Benjamim não fazia o jeito esperto. Sua preocupação impedia que fosse longe demais, porém sempre tivera uma imaginação que permitia encontrar solução para tudo. Sentia-se levado pela maré da amizade, do companheirismo, da lealdade. Por isso, não se separava de jeito nenhum daqueles amigos.

Clarice, com uma cabeça cheia de engrenagens que não paravam de funcionar, tinha ideias inspiradas nos mais ricos romances de sua escritora favorita. Eram planos infalíveis e que já testara em muitos adultos metidos a espertos. A hora de atacar havia chegado, o que deixava suas pintinhas do rosto ardendo de ansiedade.

Enquanto o tempo passava, o clima mudava constantemente, indo do sol morno para o céu coberto de nuvens, tal qual suas cabeças cheias de dúvidas.

A porta de saída para toda a confusão era a chegada do Encantador de Livros na tarde do dia seguinte. Por isso, deviam esperar... e esperaram.

Benjamim não tinha televisão. O silêncio do dia enchia a casa. Em muitas das tardes, costumava contar os livros que conseguia na manhã e se deixava preencher pelas mágicas e caladas páginas dos amigos mais íntimos que conseguia ganhar. Mergulhado num úmido e assustador ambiente, no cantinho mais misterioso de sua casa, o menino espalhava os amigos pelo chão, ansioso para dar início à sua fantástica viagem.

O porão, no passado, servia de quarto, mas com o passar dos anos se tornou o ponto de encontro predileto para aranhas e ratos espertalhões.

Nas paredes de madeira, os cupins faziam a festa e as baratas se amontoavam, a fim de comer todas as caixas de papelão que ficavam a dar sopa. Por isso, a sala de estar era o melhor lugar para dormir, embora fosse pequeno. Porém, não havia ambiente melhor para a leitura do que um cantinho bem quentinho e silencioso como o porão.

Então, encorajado pelo desejo de continuar vivendo em companhia dos livros, o menino enfrentou os perigos de um lugar escuro e hostil, ameaçando ratos que vagavam, rápida e ardilosamente, por entre caixas e papéis antigos.

Expulsou lagartixas, limpou as paredes, varreu bem o chão, levantando bastante poeira, o que o fez espirrar durante semanas.

Eunice recusou-se a ajudar, pois morria de medo das baratas, mas o que não sabia era o quão mágico aquele pequeno cantinho de sua casa iria se tornar, onde o que não era lido era imaginado e transformava-se em uma emocionante aventura.

Aconchegados em seus dedos ágeis, os livros tinham múltiplas habilidades. Ora era um barco para grandiosas aventuras em alto mar, ora um castelo encantado e misterioso, moradia para dragões, florestas proibidas...

Por mais insistente que fosse, a vontade de aprender a ler aqueles códigos que se encontravam por entre as páginas, persistia.

Rolava de tanto rir no porão. A pouca luz, que vinha timidamente de fora, escoava por debaixo da porta, atingindo a escada e o chão lá embaixo.

Apesar da escuridão do lugar, de desconhecer o prazer da leitura e do desinteresse de Eunice, ele não desistia de amar os amigos de papel, cola e tinta.

Certa vez, ouviu falar de um moço com nome engraçado, chamado Monteiro Lobato. Seus livros eram a morada de todas as crianças da cidade e não tinha nenhuma que não comentasse as travessuras de Emília, uma boneca desmiolada, que lembrava sua amiga Clarice.

Monteiro Lobato ajudou muitas pessoas na Cidade dos Livros. Por onde passava, arrastava consigo uma montanha de elogios. Contavam para Benjamim que ler suas histórias era como comer a bala mais saborosa de todas ou brincar no brinquedo mais divertido do mundo. Muitos ainda completavam, dizendo que seus livros eram qual uma ponte em que, do outro lado, havia um mundo totalmente diferente: o mundo das aventuras mais emocionantes.

Diante dos comentários, os olhos de Benjamim não conseguiam parar de brilhar. Tinha mistério, encanto e emoção. Como podia estar perdendo tudo isso?

Todos os seus colegas e amigos sabiam ler, menos ele. Entendia o quão necessário era aprender a fazer aquilo.

Benjamim não começou a buscar mais amigos de porta em porta porque era obrigado e, sim, porque amava os ter por perto, apesar de não saber decifrar seu conteúdo. O objeto livro era o que tinha, por hora. Talvez, pudesse demorar três ou quatro anos para conseguir entendê-los, mas não desistiria. Não desanimava e deixava sua imaginação levá-lo para os mais altos montes, sem ao menos juntar algumas letras.

Lobato continuava as visitas pela cidade, todas as semanas, e Benjamim não se cansava de ir até ele e arrancar-lhe um sorriso. Era simpático com todos, principalmente com as crianças, o que provava a magia dos seus livros. Porém, o tempo se encarregou de levá-lo embora.

Benjamim tinha certeza de que a alegria e a bondade daquele homem eram iguais as do Encantador de Livros. Se ele aparecesse, preencheria o espaço vazio que Monteiro Lobato deixou em seu coração. E Benjamim estaria esperando.

Ainda pensativos, os amigos de Benjamim deixaram sua casa assim que o Sol deixou as montanhas. Sozinho novamente, ele acendeu algumas velas pela sala pequena, buscou algo para comer na geladeira e desceu as escadas do porão com um castiçal numa das mãos.

Mais uma vez com seus livros, descansou um pouco, observando-os, mergulhado num profundo silêncio. As letras dançavam ao seu redor. Ele ria do quão mágico aquilo era.

Ali se contavam duzentos livros, muito bem cuidados. Uns falavam, enquanto outros, como em um espetáculo, voavam na imaginação de Benjamim. Outros eram um tanto endiabrados. Escapavam de suas mãos e ganhavam os contornos de vida. E como se não fosse de se esperar, Benjamim se viu numa ilha, cercado de tubarões.

Derrotando os dentuços, avistou um suntuoso castelo, cheio de bandeirinhas. Corajoso, agarrou-se nos muros de pedra, sem esperar que tudo tremesse violentamente e caísse no chão. Sem tempo para escapar, fora engolido por papéis, pedras e imaginação.

Levantou a cabeça por entre toda a bagunça. Estava descabelado como nunca. Com os óculos tortos, riu de si mesmo, uma risada tão gostosa que só se ouvia ali dentro.

Continuou a brincadeira, desta vez como um guerreiro de armadura e espada. Para sua surpresa, havia muitos inimigos, espalhados, escondidos na escuridão.

De repente, outra pilha de livros estremeceu e derramou-se pelo chão. Desta vez, era obra de um monstro bem gordo, com dedos longos, de pele roxa e barba comprida. Ele riu um sorriso banguela e, num movimento rápido, Benjamim escapou de suas garras e empunhou sua espada, cortando-lhe a cabeça.

E esparramaram-se mais livros.

Cansado e suado, aproveitou a cama de papéis.

Observava o teto e não pensava em nada mais. O sorriso no rosto vermelho não morria. Tinha certeza de que a leitura lhe proporcionaria a mesma sensação.

Naquele silêncio, ouviu um ruído abafado no andar de cima. Eunice tinha chegado e parecia estar acompanhada.

O menino se levantou mais uma vez, fazendo esforço para escutar alguma coisa. Os passos, lá em cima, tornaram-se apressados e o barulho aumentava constantemente. Algo se espatifou, fazendo o coração de Benjamim palpitar mais rápido e sua língua ficar seca. Então, correu para ver o que estava acontecendo.

Quando abriu a porta do porão, escutou uma voz e parou rapidamente, antes que chegasse a sala. Era uma voz chorosa e parecia de homem. Ele estava desesperado. Benjamim não se moveu e esperou ali, observando em silêncio.

Eunice conduziu o estranho até o sofá.

— Queria avisar você... Onde ele estava... Há muitos anos...

Benjamim não escutou muito. O homem parecia fraco.

Débil, o estranho se sentou, exibindo uma tristeza profunda no rosto.

Eunice foi até a cozinha e buscou um copo com água. Ele tremia tanto que foi impossível não derramar na calça. A roupa rasgada e suja assustou Benjamim. Quem era ele?

— Eu sinto muito! Sinto muito, Eunice. Esses anos foram difíceis e acabei sendo atrapalhado durante meu trabalho. Não queria que isso acontecesse. Eu ia contar tudo, eu juro.

Seus cabelos, prateados e despenteados, brilhavam a luz das poucas velas da sala.

A escuridão do lugar era maior agora, pois o vento, que entrou juntamente com os dois, fez apagar algumas chamas. Eunice fazia silêncio, mas a conversa não durou muito tempo.

O vento, soprando forte pela casa, empurrou para o chão um castiçal que estava próximo de Benjamim, denunciando sua presença. Seu corpo gelou.

Eunice fitou o garoto com os olhos vermelhos. Parecia bastante comovida pela história.

— O que faz parado aí, garoto? — perguntou.

O menino engoliu em seco e nada disse. Afastou-se da sala. Quase com os pés no quintal, ficou paralisado olhando aquela cena. Eunice se levantou vacilante e segurou o misterioso homem pelo braço.

— Você vai ficar no porão, Ângelo. Encontrará um canto para dormir. Amanhã nós conversamos. — Abriu a porta e desceram juntos.

Quando ela voltou, passou as mãos no próprio rosto e deu um profundo suspiro, voltando os olhos para o garoto.

— Não conte a ninguém sobre isso, escutou? Nem para seus amigos. — Uma lágrima escorregou pelas maçãs de seu rosto.

Benjamim fez um sim com a cabeça. Não ousou abrir a boca. Nem ao menos pensou em alguma coisa. Ver Eunice chorar era raro e quase sempre acontecia fora do alcance dos seus olhos.

A respiração e o batuque dos corações acompanhavam as batidas do relógio, anunciando a chegada da meia-noite.

Em silêncio, arrumaram as camas, apagaram as luzes e fecharam os olhos. Mas ninguém conseguiu dormir.

7

Benjamin sentiu o cheiro dos ovos estalando na frigideira e despertou abruptamente. Não havia conseguido dormir, cochilando duas ou três vezes durante toda a noite. Estava perturbado pelas cenas do dia anterior. Rolou pelo sofá, mais do que seu corpo podia aguentar e, ao invés de descansar, ficou mais cansado. Girando mais um pouco, deixou os pés escorregarem até o chão e levantou o corpo.

Eunice preparava tudo com muito cuidado e rapidez. Os pães fresquinhos, cortados e recheados com margarina, já estavam postos numa fileira em cima da pia, juntamente com os copos de leite.

Dessa vez havia mais pães e mais copos que o normal. Benjamim nada viu, até a madrasta aparecer no estreito corredor à sua frente. Ela carregava tudo nas mãos, enquanto tentava chegar até a porta do porão, com passos vacilantes.

Com a ajuda do cotovelo, girou a maçaneta e como se fosse empurrada por uma grande mão invisível, entrou na escuridão. Por muito pouco não rolou pela escada, o que Benjamim pôde conferir com os próprios olhos.

Na verdade, sua atenção estava voltada para outra coisa lá embaixo. Viu uma sombra se mover, buscando pão e leite. Com a voz embargada, a sombra agradeceu. Eunice subiu para a luz, enquanto o menino voltava depressa para a sala.

Antes de sentar no sofá, Eunice esbravejou:

— Não quero que desça. Aquele moço precisa de um lugar para ficar e pensar nas coisas que fez.

Benjamim olhou para a madrasta com olhos de dúvida.

— Quem é ele? E os meus livros?

— Livros, livros... Esqueça! — rosnou. — Não desça. E sobre ele... esqueça também — E batendo palmas para desfazer o clima tenso, voltou para a cozinha. — Vá buscar o seu café! Não sei o que está esperando.

Foi o café da manhã mais monótono de todos. Benjamim e Eunice olhavam juntos, sem piscar, para o mesmo ponto sem graça na parede. A cabeça do menino não parava de funcionar.

Quando imaginaria uma visita tão estranha e misteriosa como aquela? E como confiar naquele homem com seus livros?

Sua escola estava fechada e não havia trabalhos para fazer, no caderno nenhum desenho para colorir. Só os livros o alegravam de verdade. De um jeito ou de outro deveria descer.

Terminado o pão, Benjamim quebrou o silêncio:

— Ele ficará por muito tempo?

Ela o olhou, mas nada falou. Sabia que as perguntas difíceis viriam, cedo ou tarde. Então, ficou calada.

Benjamim continuou lhe fitando a intervalos, com a cabeça zonza de perguntas.

Seria uma boa pessoa? De onde ele vinha?

Eunice observava a paisagem de folhas da janelinha da cozinha, como que mergulhada em um pensamento qualquer. Ela parecia preocupada. Então, o menino não lhe perguntou nada mais.

Dando um susto nos dois, alguém bateu na porta.

Eunice gelou. Antes de Benjamim levantar da cadeira e atender ao chamado, sua madrasta deixou o pão de lado e correu para ver quem era.

Abriu e viu Ariane com um sorriso de orelha a orelha. Tinha Ritinha nos braços e um livro bem grande, protegido por uma grossa capa verde. Os olhos dela estavam cheios de esperança e bondade, enquanto os de Eunice pegavam fogo.

— Tia, o Ben está acordado?

— Sua mãe não lhe deu modos? Isso não são horas! Aliás, Benjamim não vai a lugar algum.

— Tudo bem, tia — disse Ariane cheia de doçura. — Mas, eu preciso mostrar para ele uma coisa muito importante e urgente. Está dentro deste livro.

A mulher desconfiou, mas abriu passagem para que Ariane fosse correndo ao encontro do amigo. Pegou suas coisas e saiu para o trabalho, mais uma vez apresada para não ter o salário descontado. Bateu a porta sem despedidas e assim que saiu, o burburinho dentro da casa aumentou.

— Deixe para tomar esse café depois. Precisamos ir até a praça urgentemente.

— Por quê?

— O Encantador de Livros estará lá. Não podemos perder o acontecimento do ano.

— Mas, ele já chegou? — interpelou o Apanhador de Livros.

Ariane respirou fundo.

— Vamos ver o que vai acontecer. Muitas coisas diferentes e que não estamos esperando podem aparecer hoje. Poderemos protestar, caso os planos de Bonanza deem certo. O Encantador de Livros precisa da nossa ajuda.

Ariane estava agitada e impaciente. Não conseguia parar para respirar com tranquilidade.

— Mas, e todas aquelas pessoas da festa? Elas estarão lá e muitos ficaram contra nós. — Benjamim tinha razão.

— Não é hora de pensar nisso. — Ariane colocou Ritinha debaixo do braço e foi até a porta da cozinha, mas parou. — Você vem?

— Claro!

Antes que pudessem sair, a menina abriu o livro que tinha nas mãos e tirou alguns papéis. Não era o jornal do dia nem mesmo outra manchete bombástica, mas papel queimado, ainda com cheiro conservado. Folheou-os como que procurando algo mais, quando, de repente, ela sorriu e tirou dali duas fotos bem antigas.

— Ajude-me!

Benjamim, então, as segurou. Numa foto havia dois jovens bem arrumados, de terno e gravata. Seguravam maletas pretas e sorriam alegremente, parecendo muito importantes. Um dos garotos tinha o braço direito apoiado no ombro do colega ao lado. Eram amigos.

— Quem são eles?

Ariane olhava o amigo como que já esperando uma reação idêntica àquela, aguardando o momento certo para anunciar outra novidade fascinante. Então, com a língua coçando, disse:

— Este aqui — apontou ela — é o Encantador de Livros.

O homem aparecia nas duas fotos. Seu cabelo era bastante liso e negro como a noite. Usava um chapéu coco e um terno bem alinhado, aparentando ter uns trinta anos. Mostrava-se uma pessoa alegre, radiante e Benjamim teve a impressão de já ter visto aquele rosto.

— Estas fotos parecem muito antigas. Onde você as encontrou? — perguntou o menino, sem tirar os olhos das fotos.

— Achamos na antiga fábrica de livros, numa sala onde provavelmente ficava a diretoria. Elas estavam em uma mala, dentro de um armário. São realmente antigas. Hoje ele deve estar com cinquenta anos ou até mais. Eu o achei parecido com você.

— Comigo não! — protestou Benjamim.

Ariane respirou, mais uma vez, profundamente e tomou uma das fotos da mão do amigo, colocando-a ao lado do rosto dele para visualizar os dois com mais atenção. Benjamim não se moveu, enquanto Ariane serrava os olhos à procura de tal semelhança.

— Continuo achando parecidíssimo. Fique com as fotos. Podem ser úteis.

Benjamim olhou as fotos mais um pouquinho e as guardou no bolso.

— E quem é o amigo dele?

Ariane não soube responder.

— Perguntei para Clarice, mas ela não sabia tamb... O que foi isso?!

O som parecia de algo se quebrando.

Pranc!

Todos os pelos da nuca do menino se arrepiaram. Benjamim teve a impressão de que sua madrasta estava se aproximando, porém logo percebeu que o som não vinha da rua, mas de dentro da casa.

Brum! Ouviu outro barulho, tão estranho quanto o primeiro.

Ariane e Benjamim se sobressaltaram. O que quer que fosse, com certeza não era obra de nenhum rato. O barulho vinha do porão, lá embaixo.

— O que tem no seu porão?

— Meus livros... MEUS LIVROS!

E se aquele homem estranho estivesse rasgando todos os seus livros para fazer uma fogueira? E por que ele não saía de lá?

O menino correu até a porta do porão e tentou abri-la, inutilmente.

— Tem alguém lá embaixo, não tem? — Ariane sabia que o amigo escondia alguma coisa. Sem paciência, resolveu bater com as duas mãos na porta. Ritinha não parou quieta.

O barulho lá embaixo cessou automaticamente. Os dois se entreolharam e Benjamim começou a ficar preocupado.

— Você está com um cachorro e não me contou nada? Eu amo animais! — exclamou Ariane, dando pulinhos de felicidade.

— Não é um cachorro, Ariane. É um homem. — Benjamim não queria ter falado, mas não tinha escapatória. Se não contasse, ela certamente descobriria.

— Ele chegou ontem à noite, chorando muito. Acho que precisa de alguma coisa.

— Ele veio sozinho? — Ariane tentava olhar pela fechadura, sem sucesso. Tudo estava escuro.

— Veio sim. Eunice não falou nada sobre ele, mas pediu para não contar pra ninguém sobre sua chegada. Estou achando que esse moço pode ser meu pai.

— Pai?! — indagou, arregalando os olhos para Benjamim.

Com medo de que o estranho homem pudesse escutar a conversa, Benjamim se afastou. Passou a mão no cabelo, segurou o braço da amiga e a levou para o lado de fora da casa, a fim de que andassem até a praça e se preparassem para a chegada do Encantador de Livros.

— Meu pai sumiu há vários anos — começou, meio triste — e Eunice não falava muito sobre ele. Sei que não está morto e tenho muita vontade de conhecê-lo.

— Tenha coragem e pergunte para ela quem é esse homem.

— Não sei... Se eu perguntar alguma coisa, ela não vai gostar. — Sua voz ia sumindo com o burburinho das pessoas que se aproximavam, indo e vindo, na simples rotina da pequena cidade.

— Ela não vai fazer nada de mal. É lei aqui na Cidade dos Livros, não maltratar as crianças.

O menino lançou um olhar compreensivo para Ariane.

— Só queria um pai de verdade. Já pensou se fosse ele? — O menino sorria. Seus olhos brilhavam de alegria. — Nem sei o que faria...

Sua cabeça foi invadida por muitos momentos de carinho, de abraços e idas ao mercadinho de livros, de sorvetes, de bons dias e boas noites. Seu coração se agitava com um amontoado de emoções.

— Queria tomar coragem — disse por fim —, mas antes, preciso aprender essa receita.

Ariane riu do amigo, mas não por muito tempo. Logo se viram diante de uma imensa multidão, que tomava todo o arredor da praça.

Quando observaram com mais atenção, cabeças e cabeções formavam um paredão ao redor de um grande obelisco, construído no século dezoito. Ao seu lado, havia um extenso e feio palanque.

Ariane esbarrava e pisava, acotovelava e empurrava o que encontrava pela frente. As duas crianças passavam, ao mesmo tempo em que vozes nervosas e xingamentos pulavam nos seus ouvidos. Ritinha já tinha os cabelos emaranhados e colocá-los de volta ao lugar não seria tarefa fácil. Sua dona respirou profundamente quando, por fim, descobriram um lugar mais vazio para ficarem.

Benjamim parou, com os óculos tortos no rosto vermelho, igual a um tomate. Aproveitou e puxou bastante ar para os pulmões.

A distância deles para o palanque não era tão extensa. Logo em frente, em um círculo, um grupo de homens parecia discutir assuntos de muita importância. Eram guardas da cidade. Faziam a proteção do prefeito, que também estaria presente. Usavam grandes óculos escuros e suas roupas eram longas e douradas. Traziam na cabeça um chapéu no formato de livro, o que lhes dava uma aparência um tanto peculiar.

— Quero saber o que eles tanto discutem — disse Ariane, fazendo força para se aproximar. A fita de proteção apertava seu peito.

— Se ultrapassarmos, eles vão olhar — avisou Benjamim, logo na hora em que um dos seguranças chamou a atenção dela, pedindo para que se afastasse. De cara emburrada, Ariane obedeceu. — Acho que ele tem mais de dois olhos.

— Eu tenho certeza — disse a menina, bufando de raiva. — Estou sentindo que algo vai dar errado. Não estou gostando nada desse clima de suspense.

Quanto mais a hora passava, mais cheia a praça ficava. Chegavam pessoas de diferentes partes da cidade e falavam cada vez mais alto, sem parar, agitando aqueles que conversavam, acordando aqueles que apenas esperavam.

Não raro, Ariane e Benjamim eram empurrados de encontro à fita de proteção. Os guardas os fitavam, como se a qualquer instante suas mãos pudessem lhes agarrar. O sol queimava suas cabeças, enquanto, atrás deles, pessoas reclamavam a plenos pulmões a presença urgente de Bonanza e do Encantador de Livros.

Muitos eram contra os planos do prefeito, outros o adoravam, o que gerava diferentes discussões. Outros não o queriam mais no poder e havia quem nem mesmo acreditava nele.

— Desse jeito não vamos encontrar o pessoal — disse Benjamim, sufocado, tentando de alguma forma virar a cabeça para trás.

Ariane tentou fazer o mesmo, para ver se os amigos estavam por perto, mas não conseguiu. De repente, houve uma movimentação curiosa, próximo aos seguranças. Outro homem, de vestes semelhantes, avisou sobre algo de muita urgência e, rapidamente, todos os guardas de Bonanza se dissiparam, desaparecendo por detrás do grande palanque. O mais estranho foi sentir a multidão movimentar-se junto com os homens e ver a fita amarela de segurança arrebentar, dançando no ar como uma serpente, até cair no chão.

A maioria não queria ver o prefeito. O desejo de todos os moradores era encontrar o Encantador de Livros.

Vozes começaram a gritar em uníssono:

Encantador de livros!

Encantador de livros!

Encantador de livros!

Outras vozes se juntaram ao pedido e quando já não podiam controlar a bomba de vozes, a cidade inteira entoava uma única cantiga. Mãos socavam o ar, placas eram exibidas com ordens e frases de impacto.

— Segure a minha mão! — gritou Ariane, desesperada.

Benjamim procurou a mão da amiga entre cinquenta braços que se movimentavam como ondas do mar num dia de tempestade, quando, finalmente, sentiu seus dedos a lhe puxar. Juntos, correram com a multidão, rumo ao pé do palanque. Ali não se separaram, apesar da movimentação constante.

Benjamim olhava para o alto, a fim de respirar. Enxergava apenas cabeças e olhos, assustados e perdidos. Então, abaixava a cabeça para ver onde pisava, mas só enxergava sapatos. O asfalto já não existia mais.

— Temos que sair daqui! — gritava Ariane.

— Para onde vamos? — Mas ela não escutou.

Alguém gritou:

— O prefeito fugiu! O Encantador de Livros não está aqui!

Novo movimento se fez e outra pessoa berrou:

— Vamos para a casa de Bonanza! Avante!

Ariane e Benjamim esperaram a multidão se afastar e prosseguiram ofegantes. Não podiam desistir de encontrar o Encantador de Livros, logo agora.

Na frente do casarão de Bonanza, o coro de vozes aumentou. Mais placas foram erguidas sobre as cabeças e mais vaias foram ouvidas.

— Vamos invadir o casarão! — gritavam outras pessoas.

Por pouco, as janelas da casa não foram quebradas nem as portas foram derrubadas.

Da grande porta de carvalho, surgiu um homenzinho de cabelos longos e óculos que chegavam até a ponta do nariz comprido. Trazia nas mãos um pergaminho. Ele olhou para todos e, discretamente, lançou-lhes um sorriso. Imediatamente, o silêncio se fez. Então, o homem pigarreou, antes de começar a leitura:

— Prezados senhores e senhoras da Cidade dos Livros — sua voz era fina e irritante. — Nosso respeitoso e amado prefeito está, temporariamente, a serviço do Ministério da Cultura, representando nosso país numa reunião importantíssima na Europa.

Conversas exaltadas se espalhavam a cada frase dita pelo homenzinho. Ninguém estava satisfeito com o inesperado.

Ele continuou:

— Peço a compreensão de todos, porque nosso ilustríssimo Encantador de Livros está em sua companhia. Mais uma vez, peço a compreensão de todos.

A mensagem instalou-se nos miolos do cérebro como um parasita a perturbar-lhes os sentidos.

Bonanza estava mentindo, Ariane tinha certeza. Quando era pressionado pela multidão, sempre aparecia com uma desculpa para não dar melhores explicações. Além disso, tinha toda a certeza do mundo que ele estava em seu escritório, desesperado, sufocado, arrumando alguma desculpa para esclarecer o estranho desaparecimento do Encantador de Livros.

Tudo era duvidoso, estranho, misterioso demais.

— Ariane, precisamos salvar o Encantador de Livros o mais rápido possível. Sinto que alguma coisa não está certa. Vamos sair daqui. André, Nicolas e Clarice devem estar próximos.

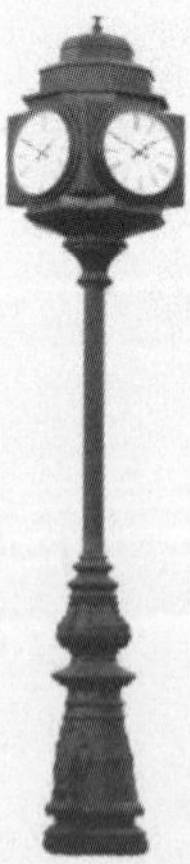

8

Com muito custo, Benjamim e a amiga escaparam de todos aqueles braços e pernas. Seus rostos, vermelhos e suados, desfilaram com rapidez por entre as ruas da cidade. Corriam sem destino certo. Olhavam de uma rua à outra, procurando algum vestígio de Clarice, André ou Nicolas. Não encontraram ninguém. Ritinha, milagrosamente, ainda estava agarrada ao vestido de Ariane, enquanto sua dona movimentava o corpo para todos os lados.

Cansados, pararam ofegantes, com as mãos grudadas nos joelhos.

— Aonde eles foram? — perguntou o garoto, com dificuldade.

Ariane olhou para o chão e voltou sua atenção para a rua, repleta de lojas coloridas e animadas. Respirou fundo e respondeu com a voz baixa:

— Acho que ficaram presos na confusão.

— Então, vamos torcer para que eles voltem.

Todos pareciam eufóricos e assustados. Não havia uma pessoa que passasse por eles sem dizer a palavra "prefeito" ou "Encantador de Livros". Os ônibus passavam apressados, os bancos da cidade estavam vazios, as casas foram deixadas de portas e janelas abertas. Muitas lojas estavam vazias. Passando pela biblioteca do Sebastião, tudo estava quieto demais. Nenhuma folha de papel cantava, nem mesmo seu dono era encontrado.

E onde estaria o Encantador de Livros? Ninguém sabia responder essa questão.

O jornal da manhã seguinte chegou à porta de Benjamim e de todos os moradores da cidade. Novamente, a foto do prefeito tomava quase que a primeira página inteira e a cabeça de Benjamim foi incapaz de juntar as letrinhas para formar uma única palavra.

Se soubesse ler poderia ser mais eficiente para ajudar os amigos, pensou, triste. Só imaginou a quantidade de mentiras que, supostamente, alguém muito próximo à Bonanza, dizia sobre sua ausência inesperada na Grande Praça.

Naquela manhã, enquanto olhava o jornal com máxima atenção, depois de mais uma vez se despedir da madrasta, escutou outros barulhos estranhos vindos do porão, como se mexessem em muitas coisas ao mesmo tempo.

Quando algo parecia se quebrar, era como se o coração de Benjamim pudesse explodir. Mas antes de ir até lá para reclamar, o medo o freava. A pessoa lá embaixo passava por condições difíceis, tendo de buscar ajuda urgentemente. E acabou vindo parar ali, na sua casa, aproveitando-se do espaço que ele mais gostava.

Movido pela indignação, percebeu uma subida tristeza tomar conta de sua mente, ora por ter as esperanças tomadas em vão, ora por acreditar na demora daquele homem ali no seu porão. Entretanto, apesar do incômodo, acreditava viver numa situação ainda melhor do que a daquele estranho.

Estaria ele em perigo? Ou com fome?

Eunice deixou o café passando no coador, antes de sair para o trabalho, e tinha biscoitos amanteigados sobrando dentro do pote.

Terminado o jornal, mais pancadas vieram lá de baixo. Seu coração batia junto. Era um tum, tum, tum bem ritmado, que o deixava sem ar.

Pegou o lanche para o estranho, talvez faminto, e esperou alguns instantes. Lutou para não dar os primeiros passos, mas não poderia deixar o homem passando fome.

Será que ele estaria com raiva? Isso explicaria a barulheira que fazia.

Pensar nisso fez seu medo aumentar.

Sua cabeça não parava de repetir a palavra fome. Coitado dele. Certa vez, escutara de Eunice, que o correto era fazer aos outros o que gostaríamos que fizessem a nós mesmos.

Repetiu a frase diversas vezes e deu os primeiros passos em direção ao porão, com o copo de café em uma das mãos e os biscoitos na outra. As pernas que o sustentavam balançavam.

Girou a maçaneta e um frio lhe percorreu todo o corpo, como um abraço amigável. Quis parar ali, mas sua curiosidade agora o impulsionava.

Lá embaixo, a fraca luz dava vida a um corpo sentado em uma cadeira tosca, com a cabeça baixa, fitando a mesa. Era ele.

Benjamim notou que as paredes estavam com muitos rabiscos, feitos com tinta branca. Na verdade, leitor, eram letras que formavam frases como essas escritas aqui, mas as letras eram delicadas e muito bonitas.

Benjamim nunca tinha visto algo semelhante.

Mesmo que os passos pesados do menino estalassem nas madeiras soltas da escada, aquele misterioso moço não se movimentava. Talvez, estivesse dormindo. Quem sabe?

Assim que chegou mais próximo, notou a grande quantidade de papéis espalhados sobre a mesinha de madeira. Seus livros foram postos, de forma organizada, na parede lateral do porão. Nunca os viu tão arrumados. Tudo parecia mais limpo e bonito. Porém, ainda mais misterioso.

Seus dedinhos frios encostaram de leve no paletó rasgado do homem, pressionando-o. Nada. Benjamim tentou mais uma vez e nada. Então, enrijeceu o dedo indicador e deu umas cutucadas bem fortes em seu ombro...

9

— Ham!

Benjamim sentiu algo passar como um relâmpago em seu rosto, cruzando de uma bochecha a outra, bem acima da boca, fazendo um enorme bigode branco. Era gelado, molhado e tinha cheiro de tinta.

Naquele minuto, tudo fez barulho. A cadeira arrastou, a mesa encostou à parede e o homem deixou soltar um gemido de surpresa, ao ver o menino à sua frente.

Benjamim percebeu que o cabelo do homem era de um prateado invejável, liso, porém indomável. Não era uma pessoa feia, pelo contrário. Seu rosto não era muito enrugado e os olhos, profundamente azuis. Todavia, parecia também não ter conseguido dormir muito bem.

Sobressaltado, por pouco Benjamim não deixou os biscoitos e o copo mergulharem no chão.

— Desculpe, meu filho! Estava tão distraído nos meus sonhos... — E, então, olhou para Benjamim com mais atenção e riu, pondo seu pincel na ponta da mesa. — Parece que você bebeu uma boa dose de leite, criança. — E caiu na gargalhada, sem que o menino pudesse esperar.

Ele olhava com admiração para aquele homem diferente e se sentiu um pouco envergonhado com a chuva de risadas.

Por muito pouco a tinta não pintara seus lábios, o que o deixou parecendo, de fato, ter bebido um considerável copo de leite.

— Senhor...

— Vamos deixar as cordialidades para depois, criança! Chame-me de Ângelo.

— Trouxe seu café da manhã, moço...

— Ah sim! — respondeu surpreso. — Muito obrigado! Que Eunice lhe recompense à altura. Adoro esses biscoitos! Hum... Delícia, delícia!

Pegou o copo de café e entornou para dentro da boca, num rápido gole. Riu do próprio feito e o devolveu, prontamente, para o menino.

Este assistia a cena, um tanto confuso e sem jeito. Sua cabeça se transformava cada vez mais em um oceano de perguntas. Notou que seus livros estavam todos empilhados de frente para uma parede única, tão organizados como nunca tinham estado.

Ângelo engoliu o último biscoito e voltou a olhar Benjamim com atenção. À luz da vela, pareciam estar num calabouço, presos em um macabro castelo.

— Vai ficar aí calado, olhando para mim? — indagou o homem, sorrindo.

— Desculpe senhor...

— Nada de senhor — pediu. — Chame-me pelo nome que minha mãe gostava tanto: Ângelo!

Benjamim olhava a intervalos para as paredes do porão e observou que estavam recheadas de letras. De imediato, quis protestar contra aquela cena, pois o porão era dele e não havia dado permissão para que alguém pudesse pintá-lo com o que fosse ou do jeito que fosse. Porém, eram letras finíssimas e enigmáticas, bonitas de se admirar.

Sua indignação deu lugar ao prazer de querer saber o porquê de estarem ali. Queria poder escrever daquela forma também.

— Bonito, não acha? — perguntou Ângelo, levantando-se da cadeira lentamente. — Minhas mãos não se cansam de escrever. Gosto de ler o que vem na minha cabeça.

— E você sabe ler? — Benjamim estava tão admirado que não percebeu a estranha pergunta que fez.

O homem sorriu, fechando os olhos e voltou a falar alegremente.

— É claro que sei, criança! Gosto de escrever também.

Saltitando alegre, como se todo aquele homem triste e choroso do outro dia não tivesse existido, Ângelo mergulhou seu pincel dentro de uma enorme lata de tinta branca e começou, com gestos delicados como os de um pintor profissional, a desenhar diversas outras letras, todas com muito capricho, nos espaços vazios da parede.

Benjamim mal conseguia acompanhar a mágica cena. As letras saíam com tanta facilidade que era até difícil pensar no mistério que elas pudessem representar.

— Venha me ajudar — pediu Ângelo, com as vestes sujas de pingos de tinta.

Imediatamente, esquecendo toda a dificuldade, toda a vergonha, Benjamim aceitou o pincel e pôs-se a rabiscar boa parte da parede. Eram estranhas formas, grotescas e ininteligíveis.

Como nunca tinha pensado nisso antes?

O porão parecia se transformar em outro lugar, mais feliz e convidativo.

— Bravo, bravo! — gritava Ângelo, batendo palmas, alegre e cheio de jovialidade, enquanto Benjamim ia e vinha com o pincel, desordenado, mas feliz.

O seu sorriso era o mais alegre possível. Não ligou para sua inteligência, queria mesmo era desenhar todas aquelas letras bonitas.

Se todos conseguiam escrever, por que ele não?

Seus cabelos, sua camisa, seus pés, tudo o que fazia era motivo para a tinta lhe sujar de branco, mas o menino não ligava. Era tão mágico, tão divertido e, afinal, aquele sempre fora o seu lugar especial.

Permitir que outra pessoa fizesse parte das suas aventuras não era tão ruim assim, por mais que Ângelo fosse um sujeito estranho.

Benjamim brincou e sorriu a tarde toda. Mas logo se lembrou dos livros que ainda iria buscar pela cidade.

— Eu preciso ir. Tenho que apanhar mais livros.

— Mais livros, criança? Já pode montar uma biblioteca pública!

— É sim! E não seria uma má ideia.

— Não mesmo. Ler nunca é demais. Nos deixa mais inteligentes e muito mais alegres.

Ângelo cantarolava algo incompreensível, com bastante atenção às letras que desenhava. Benjamim concordou com a cabeça, apesar de não saber exatamente o verdadeiro gosto de ler ou escrever.

Antes de se despedir, lembrou-se da caixa que usava para a coleta dos livros. Ela estava escondida no escuro, debaixo da escada do porão. Buscou-a, com a felicidade de sempre e se foi, deixando Ângelo a escrever nas paredes, cantarolando em voz alta:

Hoje é dia
É dia de alegria
Em meu coração
Hoje é dia de alegria...

10

Clarice acordou com as sardas do rosto ardendo. Mal escovara os dentes, depois de comer uma pequena fatia de queijo, e correu para a rua à procura de Benjamim. Com certeza, ele estaria pedindo mais e mais livros. Era o que amava fazer.

O dia amanheceu nublado e todos ainda estavam agitados por causa do desaparecimento de Bonanza. Essa história, muito estranha, mexeu com a cabeça dos cidadãos. A de Clarice borbulhava de curiosidade. Sabia que tinha algo errado. E reunir o grupo outra vez seria mais importante do que esperar André terminar de roncar. Ele ficou a noite inteira dentro do seu quarto, criando os mais estranhos maquinários, juntamente com Nicolas. Tudo era secreto. Clarice preferiu não interferir na enigmática construção, mas daria um jeito de saber tudinho depois. Não existem mistérios para ela.

Benjamim despediu-se no porão e saiu pelas ruas como há muitos anos não saía. Com um sorrisão no rosto, falou com todos que passavam por ele, o que lhe rendera cinco livros, antes mesmo de deixar sua rua. Virando a esquina, o mundo já era outro. Tudo mais agitado e bonito.

Os prédios, que lembravam grandes livros empilhados, os pombos que traziam as cartas, as casinhas quadradas, bem pintadas e as lojinhas cheias de vida e tempero, que apesar dos últimos acontecimentos, estavam cheias de cor e vida. O menino mal se lembrava dos planos nefastos de Bonanza, pois tinha na cabeça algo bem melhor. Ganhar um novo amigo como Ângelo era sempre muito bom.

Antes de fazer sua visita à biblioteca de Sebastião, visitou a loja de chocolates da Sr.ª Beatriz, que lhe recebia sempre de sorriso sincero e coração aberto.

Logo ao adentrar o pequeno estabelecimento iluminado de sol, Pretinho, o preguiçoso gato da Sr.ª Beatriz, passou carinhosamente por suas pernas. Estava sempre à procura de algo para comer. O menino nada lhe deu, apenas carinho atrás das orelhas, enquanto ele ronronava alto.

Da cozinha da pequena loja, o cheiro do café quentinho era irresistível. Como tudo era muito bem feito, a Sr.ª Beatriz fazia questão de que seus clientes provassem suas novas invenções e lhe dissessem se estava bom ou ruim. A lojinha, construída com muito cuidado e esforço, era rodeada por estantes enfeitadas pelos mais bonitos bombons, tortas e outros doces.

Atravessando um balcão de madeira, era possível observar, ao fundo, o retrato de uma mulher bonita, de meia-idade, cabelos e pele negra, recheada de colares coloridos, com vestes brancas e longas. Era Beatriz na foto.

Debaixo da moldura, a portinha da cozinha permanecia aberta, o que aguçava os olhos curiosos e as bocas nervosas dos que ali entravam. A recepção era graciosa, antes mesmo de entrar na loja e a vitrine era encantadora.

Cachoeiras, animais, pessoas, livros voadores, escritores famosos, tudo feitos com o mais delicioso chocolate da cidade.

Sentado em uma cadeira alta, de frente para o balcão, Benjamim observava as novidades deliciosas da loja com um sorriso cheio de luz no rosto. Olhava admirado para alguns livros de chocolate pendurados no teto, enquanto, de tempos em tempos, escutava uma música alegre vinda dos fundos.

A Sr.ª Beatriz mexia o panelão, cortava as barras de chocolate, derretia tudo, colocava nas fôrmas, abria a geladeira e os deixava lá dentro até ficarem prontos.

Cantando — sua voz era grave e cheia de força —, despejou uma concha de chocolate quente em um grande copo de vidro, salpicou um açúcar bem fininho por cima e depois canela, como toque final. Requebrando o quadril e remexendo sua saia branca, cumprimentou Benjamim, dando-lhe um caloroso abraço e três beijos afetuosos na mesma bochecha.

— Esse é especialmente pra você — disse a mulher, entregando-lhe o copo. — Criei há poucos dias e estou vendendo como água. Que felicidade!

Benjamim bebeu com tanta presa que quase engasgou.

— Está fantástico!

— Oh, que ótimo! — disse alegre. — Para a próxima semana, já inventarei outros sabores. Minha imaginação está funcionando que é uma beleza!

— Imaginação é comigo mesmo! — exclamou Benjamim. — Meus livros sempre encontram uma maneira de me divertir.

— Apesar de não saber ler — completou a Sr.ª Beatriz —, você faz muito bem em ser um menino esforçado. A boa leitura só chega quando nos esforçamos para aprender. E quando é chegada a hora de juntar as letras, o nosso mundo se transforma para melhor. Quando aprendemos a ler, muitos livros se tornam portas para as mais grandiosas aventuras — disse de forma carinhosa, olhado bem nos olhos da criança.

— Não sei ler, mas meus livros sempre foram portas para aventuras. Já naveguei pelos mares, lutei contra vários monstros e até salvei uma princesa — falou o menino, cheio de orgulho, entre os risos gostosos da mulher.

— E isso é muito bom! Continue desvendando os mistérios escondidos nos livros.

Beatriz remexeu o quadril e retornou a cozinha. Quando voltou, havia duas enormes bandejas, uma em cada mão, repletas de bombonzinhos e trufas. Deu um ao menino e os outros foram enfeitar as diversas estantes, cada um mais gostoso que o outro.

Pães recheados, manjares, tortas de chocolate branco, bolos de morango...

Pensativo e um pouco confuso, Benjamim reuniu um misto de medo e vontade para contar suas novidades à Sr.ª Beatriz. Começou temeroso:

— Falando em livros... Conheci um novo amigo, hoje.

— O que pintou o seu rosto?

Benjamim ficou com as bochechas coradas de vergonha e pôs-se a limpar tudo bem rápido, cena que deu motivos para uma chuva de risadas pela loja inteira.

— Vejo que a brincadeira foi muito divertida. — Tentou adivinhar a Sr.ª Beatriz, equilibrando-se numa cadeira para chegar ao topo de algumas estantes. — É verdade?

— Com certeza. Foi incrível!

— Vocês não aprontaram nada de errado, correto?

— Correto — Benjamim respondeu, após ser fitado pelo olhar apreensivo da mulher.

— Jura que Clarice não o conhece? — brincou.

— Juro! — respondeu rindo, admirado pelas adivinhações feitas pela amiga. — Foi melhor que aprontar alguma peça com um adulto metido a espertalhão.

Beatriz largou as bandejas no balcão, passando o antebraço na testa. Arrastou uma cadeira com um sorriso encantador e maroto no rosto, e sentou-se perto do menino.

— Você conseguiu ler alguma palavra, é isso?

— Ainda não, mas me parece maravilhoso.

— Pintou alguma coisa? Está todo sujo de tinta.

— Eu conheci um amigo muito mais velho e mais inteligente também, além de muito misterioso. Ele adora escrever nas paredes.

— Nas paredes? — indagou Beatriz, abrindo bem os olhos, curiosa pelo o que viria.

Benjamim lembrou-se do juramento que fez para Eunice, mas já era tarde.

— Ele pintou as paredes do... do meu porão — explicou.

— Do seu porão?

— Sim — confirmou. — Ângelo é o seu nome. Eunice é amiga dele. Chegou há alguns dias e está sujo. Suas roupas estão muito rasgadas. Talvez, tenha vindo de muito longe.

— Eunice não lhe disse quem é esse sujeito?

— Não e pelo jeito não vai me contar nada.

— E essa tinta? Parece que você mergulhou num pote cheinho — disse, esfregando sua bochecha, provavelmente retirando o pouco que ainda restava.

Benjamim riu sem graça.

— Essa foi a melhor parte! Acho que nunca me diverti tanto. Se escrever for tão bom quanto pintar, vou querer saber escrever o mais rápido que puder.

— E sabe de uma coisa? — Beatriz tinha um sorriso travesso. — Escrever é muito bom, mas antes é preciso saber ler. A leitura nos salva de grandes perigos e como você é um aventureiro, dos melhores que eu já vi, vai precisar saber ler o mais rápido possível. Essa mulher aqui, meu filho — disse batendo no peito —, é inteligente e muito habilidosa com as mãos. Não sabia ler, nem sabia escrever. Como uma doceira pode fazer os melhores bolos da cidade se não souber juntar algumas letras? Mas, mesmo não sabendo, continuei durante anos cozinhando para fora, aprendendo receitas através de uma amiga muito querida, a Mãe Fátima. Sua habilidade me encantava, sua alegria na cozinha não tinha igual. Sua casa era cheia de livros sobre a culinária de diversos países.

— A mãe Fátima não mora mais aqui? — perguntou Benjamim.

Por um breve minuto, Beatriz deixou as lembranças boas do passado voltarem à sua mente. Eram tempos maravilhosos ao lado dessa grande amiga e professora. Muitas pessoas a respeitavam. Gostavam demais de sua comida, sempre quentinha e bem temperada. O cheiro de seus pratos, diziam, chegava aos narizes de todos os moradores da cidade, e não era mentira. O horário do almoço sempre se transformava numa grande festa.

— Mãe Fátima morou alguns anos da Cidade dos Livros. Eu e ela chegamos aqui há muitos anos, você nem era nascido. Ela amava aqueles livros, amava o que fazia. Hoje mora longe. — E olhou para o alto. — Suas lições eu nunca vou esquecer. — Enxugou as lágrimas com a borda do avental. — Quando ela partiu, já não conseguia mais cozinhar. Aprendi muito com ela, mas não o suficiente. Perdi muitos clientes e, então, tive que aprender a ler todos aqueles livros que ela guardava. Sebastião sempre se deparava comigo na biblioteca, todas as tardes. Pedi ajuda e depois de um tempo, aprendi a ler. Não conseguia muito bem, mas com vontade de vencer, vendi vários doces. Juntei meu dinheiro e comprei essa loja.

— E que loja! — exclamou Benjamim, alegre.

Beatriz deu boas gargalhadas, como só ela dava. O menino tinha razão.

— Por maior que seja a dificuldade, Benjamim, não podemos desistir dos nossos sonhos. Gostaria muito de poder ensinar você a ler também, mas não sou tão boa. Posso lhe dizer uma coisa?

— Claro!

Beatriz ajeitou-se na cadeira e olhou bem nos olhos do menino. Benjamim ficou ansioso pelas próximas palavras.

Ela respirou fundo, deu uma rápida estudada no menino e colocou sua mão no ombro dele.

— Você é uma criança de coração puro. Vai ser uma pessoa inteligente e vai saber ler como ninguém. Não vejo nenhuma criança acordar bem cedinho, como você faz, para buscar livros de porta em porta, sem nem mesmo saber ler. E, mesmo não os lendo, sei que tem amor por cada um deles.

— Quero ler todos os livros!

— E vai sim, com certeza.

— Palavra de amigos?

— Palavra de amigos! — confirmou Beatriz, dando-lhe outro forte abraço. — Agora, tome esse aqui. Acho que você ainda não tem.

Beatriz retirou de trás do balcão um livrinho de capa vermelha. Suas páginas eram amareladas, parecia bem antigo.

— Muito obrigado! — agradeceu o menino, encantado com o novo amigo.

— Esse é um livro muito especial e lhe entrego para que algum dia você possa se deliciar com todas as suas páginas.

Benjamim o guardou na caixa com todo o cuidado e se assustou com a chegada inesperada de Clarice.

A menina parou na porta, ofegante. Suas sardas queimavam de ansiedade.

— Preciso falar com você, urgente.

E toda a paz se foi.

11

Clarice estudava na escola mais famosa da cidade, a Livros no Céu, e o que mais lhe chamava a atenção eram as aulas de Rimas. Sua cabeça pensava muito além das simples explicações da professora e de suas advertências constantes.

Gostava de juntar ideias, inventar palavras novas, transformar letras em jogos de tabuleiro e sentia-se feliz, admirando os resultados inesperados.

Adorava surpresas. Criava máquinas, verdadeiras bugigangas eletrônicas, que fazia funcionar nos concursos escolares, sob o olhar indiferente de professores graduados e metidos a espertos, sempre trancados nos dilemas de certo e errado.

Clarice não ligava para o que os outros pensavam dela e muito menos para o que ela fazia ou deixava de fazer. As ideias surgidas de sua cabeça, mais do que pensante, nunca deixaram de funcionar, porém sempre apresentavam uma surpresa desagradável. Mas não importava. O que é certo, muitas vezes pode ser uma derrota, mas toda derrota é uma vitória, por estar sempre nos impulsionando a vencer. E Clarice nunca desistia de seus planos.

— É claro! — dizia ela, sentada com Benjamim no paralelepípedo da calçada, próximo à loja da Sr.ª Beatriz. — Se desistirmos agora, o que será da nossa cidade? Bonanza terá o que merece!

— Estou com medo. — Ele mexia em sua caixa de livros, deixando no rosto um semblante diferente daquele que ostentara pela manhã. — E se o Encantador de Livros estiver morto e nós aqui, atrás dele? — Não queria pensar nisso, mas a boca foi mais rápida.

Clarice estava inquieta e respondeu irritada:

— É impossível isso ter acontecido, Ben. Ele nos salvou na última vez, tenho certeza. Ninguém no mundo tem poderes mágicos como ele. Precisamos reunir o pessoal mais uma vez e entrar na mansão, para descobrirmos o que Bonanza está tramando. Talvez, o Encantador de Livros esteja preso lá. E o prefeito não viajou! Tenho certeza de que ele continua em sua casa, enganando todo mundo.

— Ele está fugindo da confusão — disse o menino, desanimado. — Bonanza sabe que muitos não gostam dele, ainda mais ocupando o cargo de prefeito da cidade.

As sardas de Clarice estavam em brasa.

Benjamim não pensava no plano como Clarice. Conhecer o Encantador de livros seria o encontro mais fantástico que iria acontecer em sua vida. Mas havia uma pessoa muito mais mágica e misteriosa: o homem do seu porão. Ângelo não saiu da cabeça do menino e por ele, esqueceria esse plano perigoso, no qual se envolvia cada vez mais.

Por outro lado, imaginar a cidade recheada de livros sem graça trazia muita tristeza, não só para ele, mas para todos os seus amigos. Devia deter os planos do prefeito o quanto antes.

— Então, não vamos perder mais tempo — declarou, levantando-se e obrigando a amiga a fazer o mesmo.

— Antes, preciso avisar que tenho um plano — interrompeu Clarice.

— Mais um plano? Não é o bastante? — perguntou o menino, caminhando.

— Dessa vez estava pensando em um truque. — Assustado, Benjamim virou-se para ela rapidamente. — Um truque que nos ajudará a entrar na mansão com mais segurança — explicou quase sussurrando, olhando de esguelha para os lados e por cima dos ombros do amigo.

— Não vamos matar ninguém, não é? — A garganta dele estava seca.

— Morte?! Não, só vamos dar um susto... um grande susto. — O modo como ela falava trazia um forte tom de medo. Ou estaria falando a verdade ou enganando o menino. — Vou chamar Nicolas e André para me ajudarem, e quanto a você...

Antes de seu coração pular pela boca, Benjamim disparou em pânico:

— Voltarei para minha casa e arquitetarei outros planos — respirou fundo, após o balançar positivo da cabeça de Clarice, e voltou a segurar a caixa com seus livros. A tarefa era fácil e menos assustadora do que aquela que, provavelmente, nadava na mente da menina.

— Tudo bem! Então vamos. Amo muito os meus livros para ficar aqui parada.

— Certíssimo! — concordou Benjamim entusiasmado, mas nada tranquilo.

Antes de darem as costas, o menino se lembrou da história fantástica da sua manhã no porão de casa. Mesmo receoso e trêmulo, chamou a amiga outra vez e lhe contou todos os detalhes sobre o estranho aparecimento de Ângelo, da sua barba grande, de sua roupa rasgada e da parede lambuzada de tinta e letras. Contou também que o homem seria de valiosa ajuda para eles, caso precisassem.

Obcecada pela ideia de ajuda, Clarice foi logo perguntando:

— Mas, esse homem, quem ele é? De onde vem?

— Não sei — Benjamim respondeu triste. — Só sei que seu nome é Ângelo e ele veio de muito longe. Também ama ler e gosta de escrever. Parece até o Encantador de Livros — brincou, assim que puxou do bolso a foto que Ariane havia lhe entregado, onde a imagem gravada pertencia ao homem que tornava os sonhos de Clarice mais felizes e esperançosos.

Ela segurou a fotografia e, imediatamente, seus olhos encheram-se de lágrimas. O amigo disse, admirado:

— Nunca tinha visto o rosto dele antes, então, fiquei com a foto para me ajudar a identificá-lo, caso seja necessário.

Como era alegre aquele homem. Suas visitas na cidade semeavam a mais pura e sincera vontade de fazer o bem. Sorria e fazia sorrir. Encantava os corações mais sofridos e egoístas. As faíscas de luz, desprendidas de suas mãos, eram um espetáculo para ficar na memória para sempre, até porque essas coisas só aconteciam poucos dias no ano.

O Encantador de Livros realizava os mais belos saraus ao ar livre. Nessa época do ano, muitas pessoas de diversos lugares e tipos diferentes, vinham para a cidade. Sem preconceito, o semeador de letras os recebia como um amoroso pai que não vê seus filhos por muito tempo.

Aqueles que gostavam de suas contações de história, o seguiam pela cidade, de caderninhos em mãos e sorriso no rosto. Crianças, adultos e velhinhos anotavam suas sábias e belas frases, que deslizavam tão delicadas, tão aveludadas, dos seus lábios.

Quantos livros ele fazia alçar voo?!

Clarice se lembrou de ter visto muitos livros baterem páginas e voarem como nenhum outro pássaro pelo céu, por entre as nuvens pintadas de amarelo sol.

O Encantador se divertia muito. Fazia tudo aquilo, não para se aproveitar de alguém ou de alguma coisa. Era humilde e seu único interesse era mostrar para todos que os livros poderiam ser mágicos. Nunca ganhou dinheiro com suas visitas. Era um amor sincero aos amigos de papel. Gostassem ou não das suas mensagens, o Encantador seguia encantando, mostrando o verdadeiro significado de ser um amante dos livros.

— Não vamos deixar isso acabar! — asseverou Clarice.

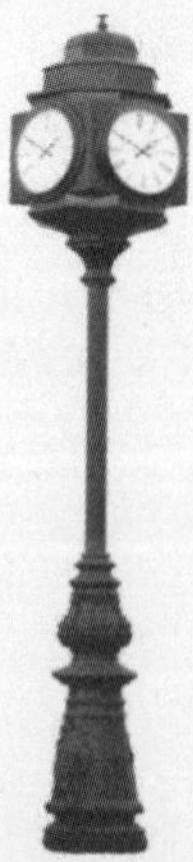

12

Ao se despedir de Clarice, Benjamim pegou o caminho de volta para casa, ansioso para estar com Ângelo mais uma vez. Escrever nas paredes iria se tornar o seu esporte predileto dali para frente, confessou para si mesmo, feliz.

Enquanto o vento cantarolava em seus ouvidos, os pensamentos flutuavam.

Como será estar com aquele moço mais uma vez?

Poderia fazer algumas perguntas sobre os livros ou, quem sabe, aprender a ler com ele. Não seria uma má ideia dizer a Ângelo que não sabia ler uma palavra sequer.

Seus olhos brilharam e o desejo de chegar em casa cresceu ainda mais. Talvez, Ângelo gostasse de ver os livros conseguidos naquela manhã. Esperava que sim!

— Olhe por onde anda, moleque!

— Desculpe! — respondeu Benjamim, após esbarrar em um senhor na beira da calçada.

Depois do susto, resolveu parar um pouco. O ar entrava por suas narinas com toda a agilidade. Mal dava para saboreá-lo nos pulmões. Porém, quem se importa? Precisava chegar em casa o quanto antes.

Abrindo a porta, foi logo tirando as sandálias e enfiando-as debaixo do sofá. Ofegante, porém animado, resgatou os novos livros de dentro da caixa e correu até a porta do porão, mas não conseguiu abri-la. Girou e forçou, girou outra vez e nada.

Seu coração batia com toda a força. A porta não abria.

Desapontado, tentou de novo. Nada. Atirou-se com a barriga no chão, a fim de enxergar alguma coisa por debaixo da porta, e o resultado foi outro grande imprevisto. Um estranho barulho metálico estremeceu a casa e a bochecha rosada de Benjamim, encostada ao assoalho gelado. Os canos comportavam-se como instrumentos de uma agitada orquestra, movendo-se ao mesmo instante em que um desconhecido maestro a regia. Tudo ali era estardalhaço.

Assustado com um jato de poeira que saiu por debaixo da porta, Benjamim pôs-se de pé rapidamente, ouvindo mais ruídos esquisitos vindos lá debaixo. Traído pela fechadura, começou a bater na porta, sem se preocupar com o volume exagerado. Ângelo não respondia, a não ser o próprio porão, com mais sons estranhos.

O que vinha de lá era semelhante a muitos pés, amassando, com todo o entusiasmo, milhares de lápis ou papéis. E cada som conseguia ser mais alto do que o anterior. Provavelmente, Ângelo mexia e remexia em muitos materiais ao mesmo tempo. Esse homem conseguia parecer mais misterioso até mesmo do que o tal Encantador de Livros.

Inesperadamente, da janela da sala, Benjamim avistou uma pessoa alta e magra se aproximando da casa. Foi incapaz de enxergar quem era e, pelo visto, a pessoa já estava na soleira da porta.

Mas, quem poderia ser àquela hora?

Ele agarrou os livros contra o peito com toda sua força e dali retirou um, a fim de lançar no estranho que forçava a fechadura.

Eunice abriu a porta com violência, deixando um vento gelado irromper. Estava agitada e muito irritada. Tinha profundas marcas no rosto, denotando a aparência de alguém que acabara de discutir e se aborrecer muito.

— Eles vão me pagar! Isso é um absurdo! Desrespeito. — Bateu a porta com força. — Quero meu dinheiro hoje! HOJE!

De tanto reclamar, mal notara a presença da criança no cômodo. Largou a bolsa no sofá, desfazendo-se das pulseiras e brincos, enquanto o menino a olhava com olhos de indagação. O barulho lá embaixo não terminou, nem mesmo com o rancor e as reclamações da mulher, que falava mal de tudo e todos.

Eunice corria de um canto a outro, arrumando o que já estava arrumado. Benjamim sentiu que o teto poderia cair sobre suas cabeças a qualquer instante.

Boom! Blank! Fazia o porão.

Ham! Er! Fazia a madrasta.

Pelo visto, Eunice não havia recebido o salário do dia, como esperava.

Naquele instante, toda a rua já sabia de sua indignação. Não era novidade vê-la estressada, mas aquilo era diferente, o que indicava aos vizinhos a situação.

Eunice tinha fogo nos olhos, quando Benjamim os encontrou. O menino engoliu em seco.

— O que você quer? — perguntou ela, respirando feito um búfalo raivoso, prestes a atacar seu algoz.

— Só quero entrar no por... — E foi interrompido por mais um barulho estrondoso.

— Eu tranquei essa porta antes de sair de casa e não quero vê-lo metido nesse porão novamente. Você entendeu?

— Não! — Benjamim não entendia quem estava com a chave de verdade. Ângelo teria trancado o porão. — Achei que poderia entrar a hora que eu quisesse no meu porão.

— Mas agora não pode mais — rosnou a fera. — Esse homem é louco. E que barulheira dos infernos é essa?

— Ele é bom! Eu gostei muito dele — retrucou Benjamim, não ligando para o que Eunice queria saber. — Acho que ele pode ter sido o meu... o meu pai — soltou.

Será que ele tinha dito aquilo mesmo? Não tinha certeza e nem mesmo queria ter.

Respirou fundo, tremendo de medo pelo o que pudesse vir em seguida.

— O que você falou? — Eunice caminhou lentamente até o menino. — Você desceu e falou com ele?

— Ele NÃO me disse nada! Só conversamos sobre livros, nada mais.

Sem que pudesse prever, a mão de Eunice estalou fortemente em seu rosto. Os livros despencaram de seus braços. Ele cambaleou para trás, mas houve tempo suficiente para se segurar nas paredes e não cair no chão. No rosto, as marcas dos dedos de Eunice.

Ela olhou bem em seus olhos marejados de lágrimas e sem lhe poupar da dor, continuou apertando sua mandíbula e bochechas.

— Você não voltará lá embaixo. Não falará com ele...

— Ele podia estar com fome, então, entreguei café e biscoitos — cortou Benjamim, com a voz embargada.

— Não pedi para que você entregasse nada! Hoje, vai ficar sem almoço. — E largou o menino com brutalidade.

Benjamim correu para o quintal. Debaixo da árvore, sentou-se e escondeu o rosto, soluçando. Ficou ali por horas. De vez em quando, olhava de esguelha para dentro de casa, mas assim que Eunice aparecia e o encarava da porta, ele voltava a esconder o rosto.

Daquela hora em diante Benjamim não escutou nenhum outro barulho estranho, somente o da sua barriga. Estava com muita fome.

A tarde vinha surgindo e sua coragem para entrar em casa ia embora. Lembrando-se da dica de Ariane para escapar da fome, deitou-se na terra dura e tentou adormecer, porém em vão.

Voltou a chorar.

Como se não bastasse, outra coisa lhe surpreendeu. Algo lhe tocou de leve nas costas, quando ainda estava deitado. Virando-se, levou outro susto.

Era um livro e uma maçã.

13

A luz da lua não foi suficientemente forte para ajudar o menino a enxergar as gravuras do livro, que havia chegado misteriosamente até ele. Não fazia a mínima ideia de onde teria surgido ou quem poderia ter mandado.

Deitado, estava satisfeito com a maçã, devorada em poucos minutos. Sentindo o frio da terra debaixo das costas, pensou em várias hipóteses.

Clarice, talvez, estivesse lhe procurando para mostrar seu truque secreto. Mas, pelo visto, não iria vê-la tão cedo.

Passada mais uma hora, sua barriga voltou a roncar. A vista embaraçava rápido demais e o cheiro do orvalho anunciava a chegada de mais uma noite longa e gelada. Todas as luzes da casa foram apagadas. Se Benjamim entrasse se arriscaria a acordar Eunice de seu sono do rancor e, dessa vez, poderia ser expulso de casa. Ela, com certeza, estaria deitada no sofá, ainda com os trajes do trabalho e o prato de comida pousado sobre a barriga, enquanto as moscas aproveitavam os restos de arroz e feijão.

Benjamim adormeceu no chão, lutando para aguentar as rajadas de vento que, de segundo em segundo, passeavam por ali. Tudo ficou gelado e logo seus lábios estavam roxos. O seu nariz começava a fungar.

Pôs o livro sobre o corpo, mas era pequeno demais e não havia nada que se comparasse à sua coberta quentinha, cheia de furinhos, mesmo assim confortável.

Após mais uma rajada forte e gelada, ele se levantou, batendo todos os dentes, decidido a enfrentar qualquer perigo para conseguir um lugar quente para passar a noite. Foi neste instante que a ideia de entrar no porão lhe assaltou mais uma vez.

Como seria bom adormecer em volta de todos aqueles livros! Ou, talvez, Ângelo tivesse algo mais divertido do que simplesmente fechar os olhos. Não quis lembrar-se das proibições da madrasta, nem mesmo das consequências ruins que aquilo poderia trazer. Se a porta do porão ainda estivesse fechada, não insistiria. Porém, se estivesse aberta, uma boa noite o aguardava.

No corredor, tomado pela escuridão, Benjamim procurou a maçaneta da porta. Não quis fazer barulho. O que aconteceu a seguir fez com que ele implorasse a todos os anjos e santos do céu: ela estava trancada.

No sofá, Eunice não parava de mexer a cabeça. Parecia estar em um pesadelo. O coração do menino batia forte.

— Abra, por favor! Só quero uma noite melhor — disse, fechando os olhos, concentrando-se no pedido.

Na ponta de todos os seus dedos sentia um irritante formigar, mas algo fazia com que sua mão não se afastasse da maçaneta. Preocupado, não ousou puxar para não fazer barulho.

Do buraco da fechadura irrompeu uma forte luz azul. No mesmo instante, o corpo de Eunice estremeceu e a porta do porão foi aberta.

Zonzo, Benjamim ainda tateou, procurando um ponto firme, senão cairia da escada. Foi quando viu, lá embaixo, uma luzinha amarela se intensificar aos poucos, como um vaga-lume. Ela lhe daria a direção certa.

Um cheiro forte de livro velho acordou todos os seus sentidos. Sorridente e mais vivo do que antes, Ângelo apareceu no pé da escada. Sua barba branca parecia maior. Seus cabelos ainda mais bagunçados, mas nada que tornasse sua imagem como a de um carrasco. Seu sorriso desfez toda a infelicidade de Benjamim. Era como um remédio. Nem a fome, que antes castigava seu estômago, o menino sentia mais.

— Meu novo amigo! Esperava você — exclamou vivaz o homem, por detrás de toda aquela barba. Atrás dele, uma confusão de livros espalhados fez o menino se espantar.

— Todos esses livros são meus? — perguntou, admirado.

Ângelo olhou a bagunça, como se já tivesse esquecido, e ficou sem graça. Devolveu ao menino um sorriso amarelo.

Aquilo tudo não era dele.

Muitas vezes, o menino saía de casa e voltava com a estranha impressão de que os móveis da sala tinham crescido. A geladeira deixava a cozinha menor, o armário batia no teto ou o sofá tinha ganhado mais um lugar. Mas nunca tivera tão incomum impressão do que aquela. Seus livros pareciam multiplicados. Era verdade que sua coleção era gigantesca. Porém, não se lembrava de ter tantos livros.

Depois do breve silêncio, Ângelo subiu a escada bem depressa e levou Benjamim para mais perto da confusão de páginas.

— Está diferente, confesso. Eu vou melhorar, prometo. Estava pesquisando algumas coisas quando você chegou. Na manhã de hoje, escrevia nas paredes...

— E de tarde? — perguntou, lembrando-se da barulheira.

— Estava pesquisando — repetiu sorridente, com o olhar um tanto perdido. — Desculpe pela bagunça! Não pude me conter por uma boa tarde de leitura. São tantos livros! Aposto que você já leu todos — seus olhos brilhavam. — Não é mesmo?

— Na verdade, não li nenhum.

— Como não? — o homem perguntou, soltando um gritinho de surpresa e balançando a enorme barba branca.

— Não sei ler — Benjamim revelou —, e acho que sou o único desta cidade.

Ângelo, rápido como um relâmpago, atirou-se na montanha de livros, com seu sorriso jovial estampado no rosto. Estava disposto a achar algo interessante.

Benjamim viu seus amigos silenciosos serem jogados de um lado a outro, até que, finalmente, o homem parou e lhe mostrou o que havia encontrado.

— Aqui está! — Vacilante, pôs-se de pé e lançou um livro em direção ao menino. — Com esse amigo ensinarei você a ler. Pode apostar! — E virou-se, com a barba embolada aos cabelos grisalhos.

O livro pesado logo fascinou Benjamim. A capa era de um dourado tão forte que seu rosto ficou iluminado por ele. Não havia título e em sua espinha, apenas o número três podia ser lido.

— Não largue! Não o perca por nada — disse o homem, tentando chegar até o menino e, inevitavelmente, pisando em alguns livros. — Este, minha criança, será a alma que completará a sua. Não vamos desperdiçar uma só letra.

Acompanhando com os olhos tudo o que Ângelo fazia, porque esse não parava quieto, Benjamim disse, quase sussurrando:

— Eu sempre tentei ler. Nunca consegui escrever. Minha madrasta não me ensinou. Meus amigos não sabem disso e eu estou cansado de esconder deles — e sentou, sem querer, em um amontoado de livros. — Não sei se vou conseguir.

Ângelo soltou uma risada bem gostosa.

— Venha e pegue este pincel. Mergulhe bem na tinta. Pronto! Agora, escreva na parede. Veja o que sai. Se houvesse mais espaço, com certeza você os preencheria com boa vontade. Em momento algum desacreditou de você, digo: você acredita em você. Veja bem! Conseguiu pegar o pincel, molhá-lo na tinta e escrever alguma coisa. Isso já é um belo começo. Se começarmos uma tarefa sem acreditar no que somos capazes de fazer, não faremos grandes coisas. Acreditar em nós mesmos é o primeiro passo para ser feliz de verdade.

— Tem razão — concordou Benjamim, animado.

E juntos, usaram seus pincéis e escreveram a noite toda. Eram alguns *as* e outros *es*. Faziam reboliços, criavam letras, abriam novos espaços na parede recheada de letras, letrinhas e *letrões*.

Cada passo que davam era um livro pisado. Enquanto brincavam, outros livros pareciam surgir magicamente no porão.

De algum lugar do escuro tocava um clic e outro clic e mais um clic curioso. Parecia vir do teto. Benjamim virou-se para o monte de livros e tomou um susto. Alguns dos seus amigos silenciosos levitavam qual mágica no ar. Coçou os olhos ligeiramente com as costas das mãos e quando voltou a olhar para o mesmo lugar, outro monte havia se formado e, agora, nenhum livro flutuava.

Click!

O que estava acontecendo ali?

14

Mal acabava de buscar outros livros na rua, Benjamim entrava em casa, pronto para embarcar nas aventuras com Ângelo. Suas manhãs eram mágicas.

Antes de sair para trabalhar, Eunice se certificava de que o porão estava trancado, porém, a porta se abria misteriosamente.

Às tardes, Ângelo montava um palanque de livros e ali recitava diversos poemas, um mais encantador do que o outro. Passeavam durante horas, ele e Benjamim, por vilas encantadas. Faziam contato com uma legião de elfos, gnomos das florestas, fadas dançantes e trolls famintos por carne humana. Cavalgavam por vales, povoados e alamedas. Durante a viagem, conseguiam até mesmo poderes mágicos, para se defender dos perigos da jornada.

— E num sopro maior do que sua força, João defendeu-se com seu vasto escudo de bronze. O gigante atacava o jovem sem piedade — contava Ângelo, fazendo cada letrinha ganhar vida na imaginação do menino.

Enquanto lia, também cantava. Transformava a voz de acordo com os personagens, imitava o som dos ventos, da chuva e dos monstros da história. Fazia aquilo de tal maneira que os olhos de Benjamim não desgrudavam um segundo dele, jurando poder sentir o personagem, quando o mesmo demonstrava medo, frio ou fome.

Durante a noite montaram uma cabana, onde Ângelo, com a ajuda de um humilde lampião encontrado não se sabe onde, ensinava Benjamim a ler todas as palavras, uma a uma, vogal por vogal. Eram horas difíceis, mas de grande prazer.

— Parece que meu cérebro dá um nó — reclamou a criança, após a milésima vez em que tentou ler a palavra amizade.

— Ora, bolas! — exclamou seu amigo. — Então, vamos desfazer esse nó com bastante paciência.

Benjamim coçou a cabeça.

— São tantas letras, tantas palavras — disse, cansado.

Com carinho paterno, desses que Benjamim jamais tivera de alguém, Ângelo se aproximou e o abraçou. Depois, olhou bem em seus olhos e disse:

— Minha criança, as letras são mágicas e nos levam para todos os lugares, até mesmo àqueles inimagináveis. São árvores frondosas, dessas cheias de frutos gostosos. E ainda é sorriso de mãe, de bebê... As letras são vida! São nossas amigas nos momentos mais importantes. Uma flor aberta em um campo banhado de sol.

— Eu me considero um grande amigo das letras, mas não sei se elas também são minhas amigas. Não consigo entendê-las.

Assim que Ângelo se levantou, num sobressalto, toda a cabana feita de livros desmoronou. Ele sorriu sem graça.

— Criança, é só ler! — E abriu os braços, alegre.

No porão tinha mais de quatro mil livros. Há alguns dias Benjamim tinha apenas algumas centenas. Algo estranho acontecia ali. Mas, o que seria?

Sobre esse estranho acontecimento, Benjamim nada comentou com Ângelo. Foi dormir e sonhou com o que mais gostava: os livros.

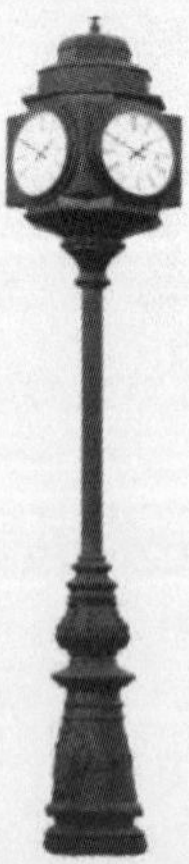

15

Quando o sol atirou seus primeiros raios sobre a Cidade dos Livros, algo de assustador aconteceu. Naquela manhã, Ariane acordou com as estantes do quarto completamente vazias. Assustada e sem entender o porquê do sumiço dos livros, desceu as escadas com o coração quase saltando pela boca e se deparou com sua mãe revirando uma centena de gavetas, todas vazias.

— Todos os livros sumiram!

A cidade amanheceu mais barulhenta do que de costume. Sim, porque ninguém se entendia e o inacreditável acontecia. Ninguém mais lia nem escrevia nas praças ou embaixo das árvores. As esquinas estavam amontoadas de gente e o que todo mundo queria saber era onde TODOS os livros da cidade foram parar.

— Não tenho mais nada! — lamuriou-se alguém.

— Sumiu tudo! — outro declarou.

— O que me resta são as roupas do corpo. Quem vai poder nos ajudar? — um cidadão perguntou.

— O prefeito! Onde ele está?

— Acho que está comendo torradas com geleia em seu gabinete.

Repórteres, fotógrafos e diversas pessoas curiosas se amontoaram em frente à mansão de Bonanza. Muitos se acotovelavam, mas nada fazia com que o prefeito lhes ajudasse. Todas as bibliotecas estavam vazias. Sebastião chorava a perda de todos aqueles amigos, que agora estavam calados para sempre.

Muitos ainda gritavam pelo Encantador de Livros. Se ele estivesse na cidade, repetiam alguns moradores, nada disso estaria acontecendo.

Ariane abriu a porta de sua casa, mas tudo o que viu lhe deixou mais assustada. Ao mesmo tempo em que diversas vozes inundavam a cidade de pânico, ventos fortes dobravam as árvores frondosas que ali viviam.

Rapidamente, o céu da cidade se tornou cinza em várias partes. Ao mesmo tempo em que gostaria de sair dali, algo lhe prendia a atenção para o que de mais estranho poderia acontecer. E aconteceu.

Uma forte lufada de vento cessou todas as outras num breve segundo. Ariane sentiu uma força lhe puxar para cima. Olhou para o céu, tentando identificar o que poderia ser, mas só conseguiu ver as nuvens se amontoando, mais e mais, sobre a cidade. Aquilo não era normal.

De repente, ao longe, avistou três cones descendo do céu, como trombas a sugar o que restava. Então, viu uma cena assombrosa: milhares de enormes cones de vento sugavam os livros para dentro de várias nuvens negras.

— Ariane, volte já para dentro! — ordenou sua mãe, segurando seu ombro e tentando puxá-la de volta para casa.

— Não posso. Preciso sair — a menina retrucou e correu, ignorando as advertências da sua mãe.

Percebeu que a maioria das pessoas olhava para o céu e não via o que ela conseguia enxergar. Livros e mais livros iam embora pelos ares. Muitos jorravam pelas janelas, outros pelas chaminés. Alguns irrompiam pelas portas direto para o céu, numa dança estranha, enfileirando-se, até sumirem de vez dentro de uma apavorante nuvem preta.

— Não posso acreditar num horror desses!

O que seria da Cidade dos Livros sem seus livros?!

Com certeza, tudo ficaria sem graça, sem vida. As escolas não funcionariam e a formação acadêmica de todos estaria arruinada. Bibliotecários perderiam seus empregos, as bibliotecas não existiriam mais, não haveria mais escritores. Era um verdadeiro pesadelo pensar na praça sem as contações de história, nas esquinas sem os saraus, nas árvores sem seus poemas, nos postes sem os cordéis. Todos se inspiravam através dos livros, tornavam-se amigos por causa dos livros. A alegria, o amor, o carinho, tudo vinha dos livros naquela pequena cidade.

Ariane entendeu que aquilo era mágica, das poderosas, e só uma pessoa era capaz de consegui-la: o próprio Encantador de Livros. Mas era loucura imaginá-lo fazendo uma maldade tão grande contra a cidade que sempre amou.

Se houvesse uma única pessoa com o coração corrompido pelo mal, capaz de mandar fazer algo tão terrível, esse alguém era Bonanza. Não era novidade a sua ideia para acabar com os livros da cidade, na tentativa de substituí-los por outros.

Será mesmo que Bonanza odiava os livros?

— A cidade está falida! — exclamou um morador.

Porém, em meio a esbarrões pelas ruas, Ariane ainda tinha um plano.

Atirou-se por entre a multidão de pessoas eufóricas, prendeu os cabelos com uma fita por causa do vento forte que soprava e correu ainda mais depressa, tão depressa quanto os flashes das máquinas dos fotógrafos, que registravam avidamente o desespero dos *deslivrados*.

Benjamim acordou assustado no sofá da sala. O livro dourado que ganhara de Ângelo descansava na sua barriga, brilhando intensamente.

Quando se levantou, estranhou a ausência de Eunice. Era domingo e ela não trabalhava naquele dia, mas...

— Brum! — Fez o porão, estremecendo a casa inteira.

Os canos fizeram barulhos horripilantes, mais uma vez, enquanto o chão e o teto balançavam, como se os dois fossem se encontrar naquele instante.

Benjamim deixou o livro de lado, um tanto vacilante. Com dificuldade, conseguiu pôr-se de pé. As paredes pareciam dançar, ora para um lado, ora para outro. Alguns móveis não se sustentaram e tombaram. Vasos de plantas estouravam, lançando terra para todos os cantos. Balançando como uma maria-mole, a casa deixou Benjamim enjoado. Chamar Ângelo foi inútil, já que era impossível ficar próximo à porta do porão.

À custa de muito esforço, finalmente atirou-se para fora da casa. O vento forte tratou logo de bagunçar os seus miolos. No alto, viu o que o deixou paralisado. Milhões de livros eram sugados por vários cones, tudo muito depressa.

Ninguém notava aquilo? Estranho demais, pensou.

Desfazendo o espanto, correu o mais rápido que pôde até a biblioteca de Sebastião, e a surpresa foi tanta que dos seus olhos escorrem lágrimas.

Não havia livro algum.

Notou o desespero de todos. As reclamações, os repórteres, os fotógrafos...

— BEMJAMIM! — alguém chamou. Era Ariane, que vinha correndo contra diversas outras pessoas, que pareciam ir para a praça. — Benjamim, você consegue ver os cones de vento no céu?

— Consigo. Mas parece que ninguém mais os enxerga — respondeu o menino, tentando falar o mais alto possível.

— Isso é magia, Benjamim. E essa magia é muito poderosa. Escutei muitas pessoas gritarem pelo Encantador de Livros. Eles estão achando que foi ele quem os roubou.

— Impossível! Ele não seria tão mal — protestou.

— Também penso dessa forma. Não seria...

Do outro lado da rua, outras vozes chamavam por Benjamim. Ariane e ele procuraram na calçada recheada de gente e encontraram Clarice, André e Nicolas, seus melhores amigos.

— Não vamos perder mais tempo. — Clarice foi logo dizendo, ao se aproximar. — Aquele truque que vai nos proteger já está pronto.

André puxou do bolso algo parecido com um chiclete. A diferença é que esse tinha olhos, boca e um botão vermelho no lugar do nariz.

— O botão vermelho liga a máquina. A cidade estará salva — declarou, entusiasmado com o novo truque desenvolvido por ele, com a ideia de Clarice e os retoques de Nicolas. Em seguida, devolveu o curioso artefato para o bolso da calça.

— Mas, o que vamos fazer? — perguntou Ariane.

— Se querem saber mesmo — Clarice falou aos berros —, é melhor que vocês nos acompanhem até a mansão de Bonanza. Vamos tentar desmascará-lo. Só assim, todos saberão a verdadeira identidade do ladrão de livros.

— Bonanza está fazendo tudo errado. A justiça será feita! — exclamou Nicolas.

— Se quisermos adentrar os aposentos de nosso ilustre e amado prefeito — disse Ariane, munida do seu tom sarcástico —, vamos precisar de muita atenção e paciência, porque, nesse instante, a mansão está cercada por vários seguranças.

— Sabemos disso. Agora, vamos! Cada minuto aqui é mais um livro sumido — encerrou Clarice, com suas sardas em ebulição.

Próximo da mansão avistaram mais de cem guardas, todos com seus chapéus ridículos em formato de livro, apertados na cabeça. Guardavam todas as portas. Nos cantos da grande casa, dedicavam-se aos seus cargos com obediência, dotados de uma cara amarrada. Dentro e fora, aparecendo ou não nas janelas da mansão.

Espiavam atrás das portas, faziam fila no gramado da fachada... Mas havia um lugar onde nem mesmo a luz da lua fazia morada: aquele beco estreito, o mesmo que dava para a grande biblioteca de Bonanza.

Nenhum guarda fazia ronda por lá.

— Mas, é claro! — lembrou Nicolas. — Guarda nenhum pode entrar na biblioteca do prefeito. É extremamente proibido. Só ele pode usá-la. — E olhando para os lados, levou um susto, ao ver Clarice armando a corda para chegar até a janela.

A menina abriu o trinco da janela com um clip e viu o que comprovou toda a falsidade de Bonanza. Todos os livros de sua biblioteca estavam intactos. Cada prateleira, da maior à menor, estava recheada de páginas e mais páginas.

— Então, ele não foi roubado... — disse Ariane aos sussurros.

— Logo — completou André enfurecido —, ele realmente é o ladrão.

— Era o que eu esperava — disse Clarice.

Entraram e fecharam a janela com cuidado, atrás deles.

16

Um ruído percorreu os corredores da biblioteca. Na escuridão, todos correram, a fim de se esconder. André e Nicolas ficaram juntos, enquanto Benjamim ficou com Clarice e Ariane. Alguém havia entrado, além deles, e andava através das estantes, apressado.

— Eu não acredito que seremos presos agora — disse Benjamim bem baixinho.

— Talvez seja...

Uma porta bateu. Silêncio.

Benjamim olhou assustado para os amigos e virou-se para Ariane. Ela não percebeu, mas estava apoiada em uma prateleira recheada de livros dourados. Aquilo fez com que Benjamim se lembrasse de algo curioso.

— Vocês conseguiram ver o momento exato em que seus livros sumiram? — perguntou quando o grupo se reuniu novamente, permanecendo escondidos na escuridão. Todos balançaram a cabeça negativamente. — É porque, quando acordei, um dos meus livros ainda estava comigo — sussurrou.

— O quê? — Clarice se aproximou. — Todos os meus livros foram roubados. Só sobrou poeira nas prateleiras.

— Todos os meus livros também sumiram. Não sobrou *nenhunzinho* pra contar história — disse Nicolas. Seus olhos verdes brilhavam na escuridão.

— O mesmo aconteceu com os meus — cochichou Ariane. — Quando acordei não tinha nenhum livro na minha casa.

— Comigo também — disse André, baixinho.

Benjamim buscou um dos livros dourados da estante, observou a capa e folheou suas páginas. A fonte das letras, o formato da capa, sua cor e o seu tamanho eram idênticos aos do livro que Ângelo lhe presenteara dias atrás. Observou também que a organização desses exemplares respeitava uma numeração, onde, estranhamente, faltava o de número três, o mesmo que estava com Benjamim. Ele ficou perplexo.

Será que Ângelo?... Não! Isso era impossível.

— Esses livros pertencem a uma raríssima coleção — explicou Clarice, averiguando também alguns exemplares com muito cuidado. — Acho que duas ou três pessoas no mundo conseguiram juntá-los numa biblioteca. Mas, Bonanza não faz parte dessa lista. Falta um aqui.

— E eu estou com ele — revelou Benjamim, para o espanto de todos.

— Quem é o ladrão aqui? — interrogou Nicolas, ainda mais confuso.

— Como chegou a você? — indagou Ariane.

A cabeça de Benjamim deu um giro.

— Eu... eu... eu ganhei de um amigo...

— Que amigo? — perguntou Clarice, esquecendo-se de falar baixo.

— O nome dele é Ângelo e está morando no meu porão a alguns dias. Quando acordei hoje, mais cedo, estava com esse livro em cima da minha barriga. E depois que esse homem chegou, ando escutando muitos barulhos vindos do porão. O mais estranho disso tudo é que o porão parece cada vez mais cheio de livros. — Benjamim buscava coragem para terminar. — Tenho certeza que não consegui juntar tudo aquilo. Mas ele não roubou, sei que não. Ele é uma pessoa muito boa, não pode ter roubado todos os livros da cidade.

— Então, você continua com seus livros em casa e os livros daqui continuam aqui? — disse Nicolas, desconfiado. — Agora temos dois suspeitos.

— NÃO — gritou Benjamim. — Ângelo seria incapaz de fazer uma maldade. Ele não roubou nada. Deve ser impressão minha essa multiplicação estranha. Só isso.

— O que devemos entender é que todos foram roubados, menos você e o prefeito — falava Clarice. — Vamos fazer o seguinte: voltaremos até sua casa e veremos se os seus livros já foram roubados. Independente do que nos espera, Bonanza é o verdadeiro culpado, até porque ele é o único que decidiu acabar com os livros da nossa cidade.

Seria perigoso se descobrissem sobre sua casa recheada de livros, pensou Benjamim. Colocariam a culpa nele, jamais em Bonanza, que ocupava um cargo poderoso no governo. Seria mais fácil culpar um garoto que saía de sua casa todos os dias para buscar livros de porta em porta.

Suas pernas tremiam, só de pensar na possibilidade de descobrirem todos aqueles livros no seu porão. Preocupava-se também com Ângelo. Ele não havia roubado ninguém. Bonanza era mau e ponto. Só um coração como o dele seria capaz de fazer algo tão medonho.

— Ajudem-me! Não consigo abrir essa janela — Clarice se queixou.

André tentou.

— Não sei o que aconteceu — disse, forçando a janela ao máximo. — Está emperrada.

— Quebre-a! — ordenou Clarice, jogando um enorme e pesado livro para seu irmão. Mas antes que esse pudesse segurá-lo, outro já o havia feito.

Nicolas agarrou o livro no ar.

— Enlouqueceu? Não podemos fazer isso. — disse desesperado. — O que vão achar?

— Se quebrarmos, vamos chamar muita atenção — alertou Benjamim. — Lá na frente deve haver outra janela.

— Assim vão nos ver — avisou Ariane, nervosa. — Tem muitos guardas.

— Se formos pegos, usamos nosso truque secreto. Não perderemos tempo. Clarice tomou à frente e foi, na ponta dos pés, até a entrada principal da biblioteca, uma porta dupla imensa, marcada com um pombo pousado em um livro grosso, em relevo. Enquanto isso, Benjamim e Nicolas certificaram-se de que a porta da cozinha estava aberta como da última vez, mas, lamentavelmente, não estava.

— Não há ninguém do outro lado — avisou Clarice, olhando por baixo da grande porta dupla e notando que estava somente encostada. — Vamos sair devagar, sem fazer barulho.

Comemoraram baixinho, quando viram que o corredor principal da mansão estava mergulhado em profundo silêncio. Nada parecido com o alvoroço que a cidade enfrentava lá fora.

Procuraram as janelas mais próximas, mas estavam fechadas. Foi impossível encontrar outra que pudesse ser aberta. Muitas janelas não tinham trinco, eram feitas de vidro somente.

— O que vamos fazer? — perguntou Ariane, sussurrando e tremendo de medo.

— Do lado de lá, deve haver outras. Essas com trinco parecem à prova de clips — disse André, enquanto caminhava cautelosamente junto aos amigos até o outro corredor.

Muitas portas, quadros antigos e jarros gregos de porcelana enfeitavam a mansão. Debaixo dos seus calçados cheios de terra, um tapete indiano do século XIX, costurado com linha de ouro, deixava o corredor ainda mais dourado, aproveitando os raios de sol que voltavam a pintar a cidade naquela estanha manhã.

Logo à frente, outro corredor e mais portas se desenhavam aos seus olhos, mas desta vez havia algo de muito errado.

Seus corpos congelaram. Suas mãos suavam e seus corações quase soltaram pela boca. Uma porta daquele corredor estava aberta, gravada com letras garrafais a palavra: ESCRITÓRIO. De lá, saíam duas vozes masculinas, e não pareciam nada felizes.

— Eu não tenho medo de você, seu maluco! Se não fizer o que está escrito no contrato, será expulso da cidade e nunca mais voltará.

Era a voz de Bonanza.

— Queime! — dizia quase aos berros. — Queime todos e não deixe nenhum para poluir mais esta cidade. Eu sou o prefeito deste lugar e estou ordenando que faça.

— Todos os burros comemorarão, prefeito, inclusive você. — A outra voz retrucou.

— Como ousa falar assim comigo, seu mágico idiota? — Algo foi quebrado. — Acate essa ordem ou será pior. Seus poderes, senhor Encantador de Livros, pertencem a mim. — Bonanza disse, imitando uma voz irritantemente infantil. — Está no CONTRATO! — berrou.

Benjamim tremia dos pés à cabeça. A outra voz, assustada e acanhada, que vinha do escritório de Bonanza, era bastante conhecida dele. Seu ouvido escutou, seu cérebro lembrou e seu corpo quase tombou.

O homem que discutia com o prefeito era Ângelo, seu amigo do porão.

Suas pernas não paravam de tremer e a discussão lá dentro continuava ainda mais acirrada, cheia de xingamentos e explosões de raiva. Clarice cutucou o ombro dos amigos e pediu que voltassem, sem fazer nenhum tipo de barulho.

Lentamente recuaram, passo a passo, fazendo o possível para não esbarrar ou tropeçar em nada. Ninguém piscava, pois a atenção maior era naquela porta. Se alguém a atravessasse, com certeza seriam pegos.

Finalmente, sentindo a biblioteca um pouco mais próxima, viraram-se e assim que o fizeram esbarraram em dois brutamontes vestidos de amarelo, com aqueles chapéus em formato de livro na cabeça.

— Vocês não têm permissão para estar aqui — avisou um deles, com as mãos prontas para agarrar Ariane pelo ombro.

— Corram! — berrou Clarice, mergulhando por entre as pernas dos gigantes.

Benjamim escapuliu das mãos gorduchas de outro guarda, porém, Ariane foi capturada por mais dois mostrengos, inesperadamente. André, o mais alto do grupo, tirou um curioso pote dourado do bolso da calça. Abrindo-o com dificuldade, despejou seu conteúdo com um forte assopro e, então, um dos guardas não parou mais de espirrar.

— O que era aquilo? — Apavorou-se Benjamim, vendo aquela cena.

— Solte a menina ou faço vocês se coçarem pelo resto de suas vidas! — ameaçou André, deixando transparecer um medo que o fazia tremer da cabeça aos pés.

Os dois homens que prendiam Ariane apertavam seu braço com toda força. A menina lutava para se desprender, mas não adiantava. Seus gritos agora corriam a mansão inteira, finalmente lembrando-se que isso poderia despertar o socorro de alguém.

Prontamente, um dos guardas da mansão, compadecendo-se do desespero alérgico do colega de trabalho, largou Ariane a contragosto. O que as crianças não esperavam era a chegada de mais grandalhões, todos furiosos.

Clarice olhou para André como quem diz algo e este, com toda sua habilidade, arremessou o estranho objeto com o botão vermelho em sua direção. Ela o agarrou e por muito pouco não deixou cair aos pés dos guardas.

— Não temos outra saída! — avisou temerosa e todos voltaram sua atenção para ela.

E como se ela fosse acionar uma bomba, todos os seguranças atiraram-se ao chão com as mãos coladas na cabeça, mas nada aconteceu. Clarice tinha apenas um botão para apertar e o fez.

Nada. Seu coração despedaçou-se. Trabalhou tanto para deixar seu truque pronto.

Nicolas não entendeu. Não havia nada de errado.

Benjamim voltou a ficar preocupado, a ponto de querer sumir de uma vez por todas. André, então, tomou o controle com o botão vermelho das mãos da irmã e foi pego por um dos guardas segundos depois, sem chances de escapar.

Outros guardas se espalharam pelo corredor, aproveitando-se da força e de seus tamanhos para imobilizar todas as crianças. No entanto, através de um descuido, André deixou uma de suas misturas peculiares escapar pelo bolso da calça e se perder no tapete indiano.

— Pagarão caro por isso — disse.

Todos foram amarrados com uma corda de aço flexível, aos risos de zombaria da segurança. Era como uma algema, só que bem fina, capaz de apertar dolorosamente os pulsos a ponto de senti-los arder a todo momento.

— Já não basta a cidade em pânico por causa desses livros idiotas — falava um homem chamado Francis —, e vocês nos dando a maior dor de cabeça.

Enquanto debochavam, os guardas andavam até a porta do escritório de Bonanza. Lá dentro, uma luz fraca transpassava a janela.

Parados na entrada, em silêncio, viram o prefeito de cabeça baixa, em uma mesa entulhada de papéis, escrevendo com ajuda de uma caneta de pena. Assim que Francis e os outros se aproximaram, Bonanza deixou a caneta de lado e levantou a cabeça para ver quem era.

— O que fazem aqui? — perguntou perplexo.

— Temos uma surpresa para o senhor — disse Francis, empurrando Benjamim até o prefeito. — Estavam escondidos dentro da mansão.

Do outro lado da sala, um estranho estampido cortou o silêncio gélido. Todos olharam para a mesma direção, mas só o que enxergaram foi uma cascata de pequenos pontos azuis se derramando pelo chão.

— O que foi isso? — indagou um dos homens, com medo.

— Nada que os seus cérebros possam compreender — grasnou Bonanza, levantando-se da cadeira.

— Você jamais será um bom prefeito para essa cidade — reclamou o pequeno Nicolas, com a certeza de que o Encantador de Livros estivera ali. — Anda, fala logo! Você está usando o Encantador de Livros para seus planos sujos. Era ele nesta sala, podem apostar!

— Bem observado — respondeu calmamente Bonanza, contornando a mesa. — Talvez, os livros que andam lendo por aí estejam colocando caraminholas na sua cabeça. Uma grande verdade... — continuou em tom teatral. — Nossa cidade está doente e você é apenas um dos loucos desse hospício.

— Não fale assim com ele! — gritou Benjamim.

— E mais um louco se manifesta — ironizou Bonanza. — Nosso Apanhador de Livros, ou melhor dizendo, o ladrão de livros. A cidade vai adorar saber que eu consegui, finalmente, capturá-lo.

— Ele não roubou nada.

— Isso é um absurdo! Ele não roubou ninguém — protestou Clarice.

— Eu não roubei nenhum livro. O senhor... O senhor... — Benjamim não conseguiu terminar a frase.

— Precisamos anunciar a novidade — disse Bonanza, exibindo um sorriso medonho e um olhar penetrante. — Anda! Vamos sair e mostrar o que achamos, Francis, feito ratos encontrados por um gato.

Houve muitos empurrões.

A passos largos atravessaram o corredor tomado pelo sol e pararam diante da porta principal da mansão. O rosto do prefeito estava radiante, uma felicidade macabra, preparado para um retorno triunfal e heroico ao seu povo ávido por respostas. Se pudesse, mandaria soltar fogos para comemorar.

Com certeza, conquistar seu povo novamente não seria uma tarefa fácil. Por isso, divulgar a captura do ladrão que ameaçava o destino da cidade era a tentativa perfeita de fisgá-los. A cada passo que dava mais satisfeito ficava. O assombro da Cidade dos Livros está preso, essa seria a notícia.

Os guardas esperavam as ordens de Bonanza. Este puxou um paninho branco do bolso e limpou o rosto suado. Afastou a poeira do terno, esticou a coluna, pigarreou e como se não bastasse, mostrou seu sorriso mais amigável.

A vontade de Clarice era lhe dar um pé na bunda, mas foi tarde. Quando pensou, a porta já estava aberta e o prefeito mais à frente.

Para sua surpresa, as vaias dos moradores da cidade eram mais altas que as palmas. O povo gritava, repetia exclamações de ordem, faziam coro e levantava placas. Tudo ainda transpirava dúvida e medo.

Uma corrente de seguranças se formou ao redor de Bonanza. Moradores tentaram pular a cerca, mas nada conseguiam além de gritos de revolta. O prefeito tinha no rosto a tranquilidade estampada. A multidão deveria se conter ou medidas drásticas seriam tomadas, avisou um dos seguranças em voz alta.

— Levem-me até o palanque, agora! — determinou Bonanza aos berros, na tentativa de ser ouvido por um de seus homens.

Nicolas, André, Benjamim, Ariane e Clarice observavam tudo aterrorizados. Alguns já os culpavam do roubo. Era triste ser chamado de ladrão.

Benjamim gelava, ao se lembrar de Ângelo e dos livros em seu porão. Se relatasse essa história, certamente o prenderiam. Apesar de todo nervosismo, não ousou chorar. Precisava ser forte.

Bonanza, alguns guardas e as crianças capturadas, subiram no palanque ao som de vaias. No mar de gente, uns choravam desesperados, outros, confusos, só queriam respostas.

Pacifista como nunca, Bonanza encarou a multidão. Aproximou a boca do microfone, sem antes testar a qualidade do som, e falou, enfim. Sua voz repercutiu alto o suficiente para que alguns pulassem de susto.

— Queridos cidadãos! Lamento profundamente o que aconteceu. Sei que nossas prateleiras amanheceram vazias, porém, prometo a volta de todos os livros.

— Sem os meus livros de receita não posso nem mesmo trabalhar!

— Esse prefeito é louco!

— E quem são essas crianças?

— Sempre desconfiei desse tal de Apanhador de Livros. Nesses dias mesmo comentei com a Norma que um dia ele sumiria com todos os livros desta cidade.

— Ladrão!

— Tenho livros para terminar e crianças para educar — gritou um.

— Queremos uma solução!

Jatos de fleches irrompiam das máquinas fotográficas a todo segundo.

— Estou igualmente indignado — continuou Bonanza. — Nesta manhã, senhoras e senhores, tivemos o privilégio de contar com o maravilhoso trabalho da nossa guarda. Encontraram esses cinco ladrõezinhos na minha biblioteca e, ao que tudo indica, ela seria a última sequestrada. Quanto egoísmo! Tão apaixonados por livros que se juntaram para roubar a cidade. Caros moradores, este jovenzinho, a quem todos chamam de Apanhador de Livros, é o líder do bando.

Todos fizeram um "O". A Sr.ª Beatriz não acreditava, nem mesmo Sebastião, o bibliotecário. Clarice se debatia. Tentou morder o homem que lhe segurava e não conseguiu. Nicolas chorava. Não aguentou as acusações e disse, com a voz embargada:

— O verdadeiro ladrão é você, prefeito! Escutamos sua conversa com o Encantador de Livros.

Alguém na multidão pediu silêncio e as vaias cessaram. Todos prestavam atenção. Clarice não suportou ficar calada por muito tempo. Estava furiosa e suas sardas ardiam feito fogo.

— O Encantador de Livros está na cidade — gritou. — O prefeito o chantageou para que ele roubasse toda a cidade. Bonanza vai destr... — sua boca foi tapada.

— Crianças! Sempre inventado histórias para se livrarem das palmadas ou das longas horas de castigo, mas Benjamim foi o organizador. Meus seguranças vasculharam sua casa e acharam até mesmo um dos exemplares raros da minha coleção pessoal, chafurdada no meio de tantos outros livros. Estimo que nenhum outro neste mundo tenha essa coleção completa em sua estante.

Benjamim mal podia acreditar nos próprios olhos. Um dos guardas segurava o grande livro dourado em suas mãos. Brilhava intensamente e o passou, mais uma vez, para o seu verdadeiro dono.

Como ele tinha ido parar ali?

Do outro lado do palco, mais uma movimentação estranha chamou a atenção dos demais. Uma senhora de meia idade lutava e berrava com os guardas, e foi amarrada como as crianças.

Antes mesmo de a colocarem em cima do palanque, Benjamim identificou aquela voz inigualável. Era Eunice, sua madrasta, a última pessoa no mundo que o poderia descobrir numa situação como aquela.

O menino nunca sentiu seu coração bater tão forte.

— Soltem-me! — gritava Eunice, chutando o ar.

Eunice não tinha visto Benjamim na confusão. Assim que seus olhos o acharam amarrado, juntamente com todos os seus colegas, não entendeu. Queria explicações.

— Juro que não fiz nada — tentou explicar Benjamim, lutando contra o choro. — Bonanza é o culpado. Eles estão usando o Ângelo...

— Senhores — recomeçou o prefeito —, o Encantador de Livros nos enviou uma carta, avisando sobre sua ausência neste ano. Portanto, ele não está em parte alguma desta cidade. — As crianças protestavam. — Não temos dúvidas de que essa senhora ajudou o Apanhador de Livros com o roubo. Ela é sua madrasta e tentou acobertá-lo assim que perguntamos sobre seu envolvimento com o crime.

— Não! — interferiu o menino.

— O senhor não vê? — indagou Eunice, explosiva. — Sou uma trabalhadora humilde. Nunca ensinei esse menino a roubar. Posso ter meus defeitos, mas nunca fui ou serei ladra, nem Benjamim. Ele não conseguia ler seus livros, é analfabeto. Por que iria roubar tantos livros? Onde os enfiaria? Nem sei direito o que esse menino faz com todos os livros que ganha.

O silêncio, diante do apreensivo espetáculo, não perdurou por muito tempo. Logo, todos riam da cena. Na cidade era raro alguém analfabeto, mesmo ainda criança.

As bochechas de Benjamim coraram rapidamente. Não conseguiu se mover e a cabeça começou a doer. Queria sumir e nunca mais voltar. Nem mesmo seus melhores amigos conheciam essa verdade. Todavia, aquilo o deixou um pouco aliviado. Revelando sua dificuldade com a leitura seria mais fácil se livrar das acusações, o que livraria sua madrasta e seus amigos do julgo pesado da população.

— A mentira está espalhada por todos os lados — disse Bonanza, furioso.

Antes de puxar o ar para os pulmões e recomeçar seu discurso, algo explodiu entre seus pés. Olhou para baixo, sobressaltado, vendo que um buraco havia se formado no assoalho. Afastou-se, fitando o local com atenção, mas uma enorme língua de fogo saiu pelo orifício.

As crianças se atiraram ao chão, mas o fogo atingiu os sapatos de Bonanza, fazendo-o correr desesperado pelo palanque. Um dos guardas, na tentativa de ajudá-lo, deu-lhe fortes pisadas no pé. A dor aumentava, mas o fogo não se apagava, chegando até as calças.

— Não, seu idiota! Desse jeito arrancará meus dedos.

Um raio chicoteou o palanque, próximo aos guardas. Estes correram, deixando os chapéus voarem. Bonanza, vendo a cena, esqueceu completamente do fogo nos sapatos e se atirou em direção a Benjamim, cerrando os dentes em fúria para capturá-lo por conta própria. Entretanto, outro raio mergulhou com força, rachando o palanque em dois, separando o prefeito das crianças. A fenda era profunda e extensa, de modo que ninguém conseguia atravessar para o outro lado.

Antes que todos pudessem deixar o lugar, o sol despediu-se mais uma vez do dia, dando passagem para um céu quase completamente escuro. O vento soprou forte e um vozeirão tomou conta da cidade.

— Se querem um culpado — dizia a voz distante —, culpem a mim.

Benjamim sabia muito bem de quem era aquela voz.

17

Muitos olhos apertados voltaram a atenção para o céu. Na mesma velocidade dos raios, um homem surgiu diante do público curioso. Flutuava, antes de encostar seus pés descalços numa das partes do palanque. O rosto sério parecia não lhe pertencer. As vestes, que cobriam seu corpo esquelético, eram simples e bastante surradas. Imediatamente, Bonanza teve o fogo dos sapatos apagado. Mal conseguia olhar a figura parada diante de si.

— Encantador de Livros!

— Ângelo! — gritou Benjamim.

— Como assim, Ângelo? — perguntou Ariane, completamente confusa.

— Esse é o nome verdadeiro dele — respondeu o garoto. — Ele estava morando no meu porão.

— E você não nos contou isso, esse tempo todo? — reclamou Nicolas.

— Contei sim!

— Contou não — insistiu o amigo.

— Eu não sabia que ele era o Encantador de Livros. Nunca o tinha visto, por isso vocês não entendiam quando eu falava sobre o Ângelo. E ele nunca seria capaz de roubar ninguém.

— Confiamos no senhor — disse Clarice do outro lado do palanque, com a voz cheia de decepção. Seus olhos encheram-se de lágrimas.

Todos estavam perplexos. A multidão nada dizia.

Ângelo encontrou Eunice com as mãos amarradas, detida por um dos guardas. Discretamente, ela fez um sinal positivo com a cabeça. Seus olhos refletiam o medo que sentia. Entendido o sinal, Ângelo caminhou até a beirada do palanque e falou:

— Viajei muito para aprender o que sei hoje — sua voz era bonita. — Atravessei rios perigosos, montanhas, florestas, mas sempre com fé e esperança num futuro melhor. Antes de iniciar essa busca por conhecimento, recebi de outra cidade, a notícia de que meu irmão mais novo precisava de ajuda. Estava pobre e seu filho, ainda bebê, passava fome. Mas antes que pudesse lhe enviar socorro, chegou-me outra notícia, ainda mais triste, a de sua morte. Uma grave pneumonia o abatera.

Benjamim escutava com atenção.

— Porém, o menino estava sob os cuidados de uma mulher chamada Eunice, a última esposa de meu irmão. Então, fui até sua casa, mas nada encontrei. Ela também passava por dificuldades, por isso havia deixado o lar. Triste, regressei para a Cidade dos Livros e em um golpe de sorte encontrei esta mulher na porta de minha casa, com Benjamim em seus braços. E até hoje ela mora aqui.

Eunice chorava, emocionada.

— Prometi — continuou Ângelo — que iria ajudá-los para sempre, por isso precisava urgentemente trabalhar. Comecei escrevendo, fazendo minhas mágicas pela cidade e hoje sou o que sou. Prefeito, eu sou o verdadeiro ladrão de livros. Pode me prender, mas deixe as crianças livres.

— Eu achava que meu pai havia me abandonado... — disse Benjamim, de repente.

— Ele nunca o abandonou, minha criança — respondeu Ângelo com lágrimas nos olhos.

— Então, você é meu tio!

— CHEGA! — Bonanza agarrou os braços do Encantador de Livros e o amarrou bem forte. — Está preso. Levem essa mulher e esse homem fracassado para uma das celas de nossa prisão. E claro, não esqueçam as cri...

Brum!

E todas as crianças desaparecem.

— O que está combinado, está combinado, senhor prefeito — lembrou o Encantador de Livros, obediente.

18

Bluunk!

As crianças caíram sob uma superfície dura, que se movimentava.

A escuridão acabou com todas as chances de descobrirem onde estavam. O lugar parecia sujo, muito empoeirado e seus narizes sentiram um forte cheiro de mofo.

— Não gosto de poeira — disse Ariane, levantando-se e olhando ao redor —, nem de escuro.

— Precisamos sair daqui agora mesmo. Não podemos deixar a cidade — reclamou Clarice, limpando o vestido a tapas.

— Foi o Encantador de Livros que nos trouxe aqui. Que lugar é este? Benjamim, onde você está?

— Aqui — respondeu o menino, após identificar os olhos brilhantes de Nicolas na escuridão. — Eu conheço esse lugar. É o meu porão. E vocês estão pisando em livros.

Não se deram conta, até aquele momento, de que suas cabeças encostavam muito perto do teto. Dali, a pouca visão que se tinha do amontoado de livros era assustadora. A escada, que dava acesso ao andar de cima, estava quase que toda tomada por eles. Cada passo que davam, mais barulhos estranhos faziam. Ali estavam todos os livros, de todos os moradores da cidade, em uma montanha dentro do porão.

Benjamim ficou horrorizado. As paredes, que antes havia pintado, desapareceram.

— Foi Ângelo que nos trouxe. Ele me contava histórias maravilhosas aqui. Ensinou-me a ler e me mostrou o quanto as letras são importantes.

— Ainda bem que escutamos tudo o que Bonanza fez com Ângelo — disse André. — Ele está sendo chantageado e o prefeito está usando seus poderes mágicos.

— O pior de tudo é que eu e Eunice também fomos usados — disse Benjamim. — Bonanza pediu para que Ângelo ficasse aqui em casa por um tempo, até que tudo fosse preparado. Foi um plano e tanto.

— O importante é que sabemos que existe um contrato. Eu ouvi Bonanza dizer. — Clarice vasculhou os arquivos do seu cérebro. — É isso! Ele conseguiu enganar Ângelo para assinar o contrato. É claro que ele nunca concordaria com as ideias malucas do prefeito.

— Antes de toda visita e de todo trabalho feito na cidade, ele assina um contrato com o prefeito — lembrou Nicolas.

— Ângelo não sabia que seria enganado. Foi um plano sujo.

— Só queria entender por que ele me deu aquele livro da coleção de Bonanza.

— Acho que entendi o que ele esperava de você, Benjamim — disse Ariane.

— O quê?

— Veja bem — continuou ela —, sabemos que existem boatos de que o Encantador de Livros é amigo do prefeito. Como um amigo vai roubar algo do outro? Isso explica que o boato é falso. Ângelo estava dando um sinal de que não era um ladrão e que estava sendo chantageado por Bonanza, o dono do livro.

— Só isso não é suficiente para inocentar alguém — disse André.

— Não mesmo — respondeu Benjamim. — Por isso, precisamos voltar à mansão e resgatar a prova mais concreta desse plano, o contrato.

— Não, não! — interrompeu Clarice. — O contrato só irá atrapalhar. Não vê que isso só vai confirmar que ele é o verdadeiro ladrão?

— Mas, Bonanza não pode ter sido tão esperto — falou Benjamim. — Deve ter alguma coisa escrita no contrato que ajude a inocentar Ângelo. Vamos logo, antes que seja tarde demais.

— Estou ansioso para sumir com todos aqueles livros de Bonanza — disse André, rindo.

— Não é uma boa ideia — respondeu Benjamim. — Livros repelidos são livros eternos.

19

Procuraram os mais apertados becos, as ruas mais escuras da cidade. Sujaram-se por descuido, em poças de água e no lodo grudado nas paredes das vielas estreitas. Espremeram-se, pularam muros e o silêncio os acompanhou.

As ruas da Cidade dos Livros se acalmaram. Seus moradores permaneciam enclausurados em seus lares, esperando que tudo fosse resolvido o mais rápido possível. Cabia a eles encerrar essa história triste.

Quando avistaram a mansão, ao longe, diminuíram os passos, apertando-se uns aos outros na entrada de um bequinho escuro. De lá, nenhum guarda foi visto.

Arriscaram olhar mais um pouco e confirmando a total calmaria, continuaram a marcha até a porta principal. Mais uma vez, giraram os olhos para todos os lados e viraram a maçaneta. A porta estava destrancada.

O silêncio do lado de dentro cortou friamente seus corpos. As luzes estavam acesas e os quadros, pendurados nas paredes, pareciam ter vida. Avistaram os corredores longos, as escadas largas e o teto com uma pintura fantástica, que retratava livros voando em um céu azul anil.

— Vamos nos separar — cochichou Benjamim para os amigos. — A casa é grande demais e o contrato pode estar em qualquer lugar.

— Temos a biblioteca, o escritório e o quarto do prefeito. Eu posso ir até a biblioteca — sussurrou Clarice.

— Então, eu e André ficamos com o quarto — disse Ariane.

— Benjamim e eu ficaremos com o escritório — avisou Nicolas.

De repente, André se lembrou de algo. Enfiou a mão no bolso de trás da calça e dele tirou vários saquinhos.

— Isso vai nos ajudar. Caso encontrem algum segurança, usem sem dó nem piedade — disse e entregou um para cada amigo. — Na verdade, não sei bem o que eles fazem. Estava testando. A única coisa que eu sei é que nenhum deles é letal.

No alto de suas cabeças, uma sombra grotesca apareceu de surpresa. Falou e sua voz arrastada estremeceu todo o saguão de entrada.

— É melhor ficarem paradinhos ou tudo ficará ainda pior — avisou Ronan, um dos seguranças de Bonanza.

Depois disso, outros grandalhões os cercaram. No corredor que dava para o escritório, três dos homens atrapalhavam o acesso. No outro corredor, à direita, mais dois riam das crianças. No alto da escada principal, outros seguranças os fitavam como águias, prestes a dar o bote a qualquer instante.

— Acharam mesmo que seria fácil entrar aqui mais uma vez? A porta destrancada não foi por acaso. Dessa vez pegamos vocês.

— Quem disse?! — soltou Clarice.

— Sabemos o que procuram — disse Ronan —, mas não vão conseguir. Bonanza já sabe de todo o plano.

— Isso não significa nada — retrucou Nicolas, cheio de coragem. — Até porque, o que vocês acham impossível, para nós é possível.

— Os bebezinhos são valentes — disse outro, chamado Augusto. — Está na hora de acabar com toda essa coragem. Peguem-nos!

Velozes como um raio, as crianças se separaram. Do outro lado, dois enormes homens que riam sem parar, agarraram os braços magrelos de Ariane, prendendo-a. Seus gritos atravessaram os cômodos da mansão. A menina balançou as pernas e os homens riram debochadamente.

Sem ouvir ou enxergar com perfeição, Ariane sentiu que finalmente sua perna havia acertado alguém. E depois, uma barriga e um queixo. Com os pés no chão mais uma vez, não acreditou quando avistou mais dois guardas furiosos. Tentaram agarrá-la outra vez, mas ela foi mais rápida, usando os dentes em uma mordida bem dada na mão de Francis e um pontapé na canela de Augusto.

Ariane conseguiu deixar o corredor da direita completamente livre, porém, o quarto de Bonanza ficava no andar de cima e de lá, Ronan dava ordens aos seguranças no hall.

— Agarrem! Não os deixem fugir! Por aí não, seus idiotas. Não corram deles.

O campo de batalha estava formado. As tentativas de se esquivar dos grandalhões não acabavam. Benjamim se livrou de dois seguranças por muito pouco. Nicolas chutou tantas outras canelas. Clarice ainda conseguiu driblar os braços habilidosos de Augusto, pendurando-se no seu pescoço. Ariane estudava uma maneira mais fácil para atingir o segundo andar.

André procurou um lugar para se proteger, assim que avistou um brutamonte vasculhando seu cinto de armas e dele arrancando duas bolinhas pretas. Elas rolaram pelo chão, fazendo barulhos estranhos. Alguns homens se afastaram e as crianças esperaram, sem saber para onde correr, até que uma grande e grossa rede negra pulasse inesperadamente na direção de Nicolas.

Benjamim usou o estranho pozinho que André lhe dera, assoprando com toda a força para o ar. Em poucos segundos, o chão do hall parecia molhado e encharcado de sabão. E, então, Nicolas não se aguentou de pé. Assim que tombou, a rede atingiu Augusto, que estava logo atrás.

— Peguem logo essas crianças! — ordenava Ronan, descendo a escada.

Enraivecido, jogou mais duas bolas pretas no chão. Porém, antes que elas pudessem explodir e cuspir mais redes, Ariane as chutou com toda a força para o outro lado do hall e a arma acabou por prender outro segurança.

A menina, finalmente, conseguiu correr até a escada, mas já era tarde. Lá em cima, outros seguranças apareceram. Benjamim correu para ajudar Ariane e por muito pouco não foi preso por uma das redes.

Assustado, olhou para trás e viu Ronan lutando para escapar da própria armadilha.

— Tirem-me daqui, seus idiotas!

No outro andar, Malício postou-se perante o último degrau da escada e mostrou alguns dentes podres para Ariane. Corpulento como era, ela jamais conseguiria passar por ele. Os outros que o acompanhavam, espalharam-se e, mais rápidos do que nunca, conseguiram capturar Nicolas.

Arduro, outro brutamonte de amarelo e chapéu de livro na cabeça, derrubou Clarice no chão, ao mesmo tempo em que Benjamim foi cercado. Mas Ariane aproveitou um momento de distração do Malício e, engatinhando pelos cantos do hall, escapou sem ser percebida. Viu a escada livre e subiu de dois em dois degraus.

— A menina! — Ronan gritou. — A menina está subindo!

Malício esqueceu a divertida cena no hall e viu Ariane inesperadamente atrás dele. Ela só teve tempo de procurar uma porta e girar a maçaneta. Viu que estava em um quarto arrumado, com livros na estante, uma bela cama e duas janelas com uma paisagem de tirar o fôlego. Imediatamente, aproveitou a chave que estava pendurada na fechadura e trancou a porta, mas não houve tempo suficiente para respirar a paz daquele momento. Quando bateram na porta, metade dos livros na estante foram ao chão e seu coração quase saltou pela boca.

— Abra ou vamos arrombar!

Ariane esvaziou todas as gavetas, bagunçou os armários e remexeu até mesmo na cama. Estava procurando o contrato assinado por Bonanza, o mesmo que ele obrigou o Encantador de Livros a assinar. Esse documento poderia inocentar Ângelo e as crianças do suposto desaparecimento dos livros. Deveria estar em algum lugar.

Boom!

A porta se desprendeu do lugar com brutalidade e a menina se sobressaltou.

— Venha aqui, sua pirralha intrusa! — gritou o guarda.

Mas, antes que suas mãos enormes pudessem capturá-la, André surgiu no quarto e o acertou com um vaso de porcelana na cabeça. Ela gritou de susto.

— Vamos, precisamos ser rápidos! — alertou o menino.

— Benjamim conseguiu entrar no escritório? — ela perguntou.

— Ainda não.

No hall, as crianças eram mais ágeis e os homens já estavam cansados. Suas armas pareciam inúteis contra elas. Benjamim e Nicolas, ombro a ombro, avistaram o corredor da esquerda livre dos seguranças.

Clarice ainda tentava chegar à biblioteca. Desamarrou seu saquinho e mais uma vez algo estranho aconteceu. O pozinho transformou-se num tapete gelatinoso.

Furioso, um dos homens pisou nele e foi o suficiente para deixá-lo preso por um bom tempo, livrando a porta da biblioteca. Clarice riu.

Como André conseguiu fazer isso? Pensou.

E entrando no santuário dos livros de Bonanza, embrenhou-se na escuridão, escutando sua própria respiração e o coração batendo rápido no peito.

Do outro lado, os meninos desfaziam montanhas de papéis, vasculhava outras gavetas e armários. Benjamim separou alguns documentos suspeitos, ajeitou os óculos no rosto, mas não conseguiu ler.

— Pare já!

Eles pararam com os papéis ainda nas mãos. Ronan estava postado, impedindo a passagem, pronto para atirar outra arma contra eles.

— Que vergonha! — começou o homem. — O Apanhador de Livros roubando o prefeito da cidade. Você terá uma longa conversa com o delegado Everaldo.

— Não preciso roubar nada e mesmo que eu quisesse, não iria conseguir.

— Então, o que faz aqui? — perguntou, apertando com força seu cinto de armas.

— Só quero a verdade. Se eu não tivesse meus livros não teria amigos tão leais, não aprenderia na escola, não me divertiria, não comeria. Eu amo os livros e também quero salvá-los.

— Como pode ser tão patétic...

De repente, Ronan ficou silencioso. Pareceu que iria vomitar. Olhou com olhos arregalados para os meninos e tentou se mover, mas só conseguiu tirar os pés do chão, dez centímetros, depois vinte e depois cinquenta.

Benjamim e Nicolas pareciam ficar cada vez menores.

Tentou segurar em alguma coisa. Quando colocou o peso do corpo para frente, suas pernas voltaram os pés para o teto e a cabeça para chão. Ele estava flutuando.

— Como isso é possível? — dizia ele. — Segurem-me, não gosto de altura — e gritou, mas nenhum outro companheiro foi ao seu encontro.

Benjamim ria. Mas, para a surpresa e espanto dos três, um pequeno pergaminho escorregou de um dos bolsos de Ronan. Quando viu o que acontecia, ele pôs-se a tentar capturar o documento novamente, porém seus dedos foram lentos demais.

Lá embaixo, Nicolas agarrou o papel depressa e foi tomado por uma surpresa.

— Seguranças! Tirem-me daqui! Estou de cabeça para baixo. Benjamim está roubando mais uma vez. Essa magia só pode ser coisa desse Encantador de Livros!

— Iupi! — soltou o menino, sorrindo e saltitando com a novidade nas mãos. — Já temos o que precisamos. Vamos embora, Benjamim.

— Seguranças! — continuou Ronan aos gritos.

Clarice, Ariane e André surgiram ofegantes.

— Não acredito que conseguimos — disse Benjamim, assim que pegou o documento das mãos de Nicolas.

— O que vamos fazer agora? Os seguranças não ficarão presos por muito tempo.

— Vão pagar caro por isso — gritava Ronan, flutuando feito um balão.

O corredor permanecia em total abandono por parte dos companheiros de Ronan. André decidiu ir direto para as ruas e procurar o delegado, mas ao dobrar a direita, tendo que driblar os seguranças que ainda permaneciam na luta contra as redes de captura, ele e Clarice pararam abruptamente. No corredor à frente viram uma paisagem tenebrosa de homens que, aos seus olhos, pareciam gigantes prestes a prendê-los. As paredes estremeciam tal a força com que pisavam no chão.

Atônitas, esperando alguma reação, as crianças ouviram um estrondo que percorreu toda a mansão. E em seguida, outro barulho ensurdecedor, capaz de paralisar a todos, na tentativa de saber de onde surgia.

Antes de poder girar a cabeça e olhar, Benjamim escutou o que seria um bater de folhas gutural, que espantou todos os brutamontes, deixando apenas seus chapéus para trás. Das portas da biblioteca, milhares de livros alçaram voo, quebraram as janelas, libertos para a noite estrelada. Feito pássaros, batiam suas capas e sumiam na paisagem da cidade.

— Eles ganharam vida! — gritava Clarice aos risos, com as mãos para cima, pulando alegremente.

Benjamim abriu as portas da mansão e por cima de sua cabeça, os livros passaram depressa, fazendo o ar da noite ficar ainda mais refrescante. Amarelos, azuis, vermelhos, novos e velhos. Eram livros de todos os tipos. O hall de entrada foi tomado de susto, correria e gritos. E a cidade virou um borrão.

Benjamim correu com os amigos, tentando enxergar alguma coisa por entre os livros que lhe esbarravam, deparando-se com outras pessoas a contemplar mais um espetáculo mágico do Encantador de Livros.

— Ângelo está com a gente! — falava Benjamim. — Conseguimos! Conseguimos!

Adentrando os jardins da mansão, outros seguranças se aproximaram, mas desta vez acompanhados do prefeito, com os cabelos desgrenhados, olhos vermelhos, roupas amarrotadas e sapatos furados, ainda sob o efeito traumatizante da tarde no palanque. Quem o avistava era tomado de grande susto.

— A aventura de vocês termina aqui! — disse Bonanza, no exato momento em que nove livros dourados passaram velozes por cima de sua cabeça.

20

Qualquer movimento brusco acarretaria um enorme escândalo naquele momento. Bonanza olhava enfurecido para as crianças, mas não conseguia enxergar o que havia nas mãos de Benjamim. Dentro da sua cabeça só martelava a ideia de fugir de toda aquela confusão e para isso seria preciso prender todas as crianças novamente, a qualquer custo.

— Voltem já aqui, seus pestinhas! Olhem em volta. Não há maneira de fugirem. Entreguem-se de uma vez por todas ou será pior. O Encantador de Livros não está aqui para salvá-los e se ele aparecer apodrecerá na cadeia.

Paralisadas pelo medo, as crianças se sentiam impossibilitadas de ter qualquer ideia mirabolante para sair dali. Nem Ariane, com sua cabeça engenhosa ou Clarice, com sua invejável inteligência, conseguiam pensar em algum plano. A mansão estava cercada por guardas, dentro e fora, e a movimentação de pessoas que passavam na rua, moradores que paravam para ver o que estava acontecendo, começava a aumentar.

— O que estão esperando? — rosnou Bonanza, cuspindo.

Benjamim, ocultando o que tinha em mãos, amassou o papel discretamente e o enfiou no bolso. Ariane olhava para os lados, esperando alguém surgir, a fim de terminar aquele episódio. Clarice e André só queriam mais tempo para pensar. Jamais se viram em tão arriscada situação. Com certeza, aquela noite entraria para a história de suas vidas. E enquanto buscavam uma maneira de driblar o perigo, Nicolas observava o céu com os olhos repletos de lágrimas. A luz da lua fazia surgir, ainda longe, algo que crescia de pouquinho em pouquinho, alguma coisa que parecia...

— Aquilo é um pássaro gigante? — indagou Clarice, apertando os olhos para conseguir ver melhor.

— Não é um pássaro! Tem páginas e não penas — disse Nicolas, sorridente.

Benjamim jurou ter escutado algo como um *Iahu* vindo do céu. Foi quando, de repente, explodiu uma comemoração espontânea dos moradores da cidade, juntamente com as crianças. Ariane dava alguns tapinhas nas costas de Nicolas e Benjamim, enquanto André e Clarice davam pulos de alegria. Até alguns guardas pareciam um pouco mais alegres, sorrindo feito criança.

O livro voador gigante de Ângelo passou rente sobre as cabeças lá embaixo, fazendo uma espessa nuvem de poeira levantar pelo ar. Curiosos, os moradores da cidade brigavam por espaço, a fim de ver para onde ele iria.

O grande livro batia as páginas lindamente, como se estivesse em câmera lenta, sob um tapete negro enfeitado de estrelas. Sobrevoou mais uma vez os moradores e sem que ninguém esperasse, passou lentamente sobre as crianças.

Benjamim e os amigos subiram nele, empolgados. Seguraram firme nas bordas e sentindo o gostoso vento da noite, atravessaram a multidão, assistindo o show de mau-humor de Bonanza lá embaixo, que socava o ar, soltando palavrões, que àquela altura eram inaudíveis para as crianças montadas no grande livro.

— Como é bom voar! — dizia Benjamim, deixando o alívio guiá-lo.

As ruas da cidade iam desfilando pequeninas lá embaixo. As crianças conheciam onde estavam, porém, não sabiam ao certo para onde iriam. Não conseguiam guiar o estranho objeto voador para onde desejavam. Mas, pensando bem, qualquer lugar era melhor do que a mansão do prefeito.

— Precisamos chegar até a cadeia, onde Ângelo está — alertou Ariane.

— E como faremos isso? — Nicolas segurava firme nas folhas de papel. — Ele parece não estar nos levando a lugar algum.

— Pelo contrário — disse Clarice, equilibrando-se. — Ele está nos levando exatamente para onde queremos ir. Conheço esse caminho. Olhem, eu não disse?

Clarice apontou para baixo. Uma torre feita de pedras despontou diante deles. O lugar parecia não pertencer à cidade. Era triste e escuro demais.

O livro contornou o prédio e, devagar, começou a descer, encerrando suas batidas de páginas, indicando que ficaria ali, esperando o retorno das crianças.

— Não gosto desse lugar — declarou André.

Pararam diante de um portão de ferro. A única luz que os iluminava vinha de um poste que ficava bem ao lado. Quase ninguém passava por ali.

Tocaram a campainha e seus corações congelaram. Por pouco não voltaram até o livro gigante. Barulhos de cadeados foram ouvidos e as crianças se afastaram do portão. Assim que o fizeram, um guarda apareceu e os interrogou com arrogância:

— Isso não é hora nem lugar para crianças ficarem fora da cama. O que querem?

— Viemos porque descobrimos algo importante sobre o Encantador de Livros — disse Clarice, tomando a frente dos amigos.

Benjamim desamassou o documento que estava em seu bolso e o entregou ao homem com cara de poucos amigos. Ele aproveitou a pouca luz que tinha e leu em voz alta, fazendo cara de mau:

Em nome de Bonanza Dedomal, declaro a ordem nº 326, de que a visita do Sr. Ângelo Brilhante está irrevogavelmente proibida para sempre na Cidade dos Livros, CL. A pedido de Bonanza Dedomal, todos os livros da cidade deverão ser apreendidos e queimados, por estarem perturbando a ordem. Caso esta condição não seja aceita pelo Sr. Ângelo Brilhante, este será punido com prisão e sujeito a multa, correndo o sério risco de ser proibido de escrever livros e fazer encantamentos.

Assinado:

Bonanza Dedomal e Ângelo Brilhante

— O senhor compreende? — perguntou Benjamim. — Isso comprova algumas coisas.

— Não compreendo — disse o guarda.

— Bonanza mente! — continuou Benjamim. — Ele disse que eu sou o ladrão de livros, mas veja. Ele está usando Ângelo para roubar. Bonanza é o verdadeiro ladrão de livros. Então, Ângelo precisa sair da cadeia.

— Por favor, deixe-nos falar com o delegado — pediu Clarice. — A cidade precisa voltar a ser o que era. Nós não somos nada sem os nossos livros. Precisamos deles.

— Sim, sim... Os livros sempre foram meus amigos — respondeu o guarda, compreensivo. — Participei de aventuras inesquecíveis com eles. Mas, crianças, isso é um assunto delicado e precisa de uma boa análise... — as palavras ficaram presas, quando se deu conta de que doze vultos se aproximavam. O mais rápido era corpulento e seus olhos brilharam assim que a luz do poste os coloriu. Era Bonanza e seus seguranças.

— Quero ver o delegado agora mesmo — sua voz ríspida fez todos estremecerem.

Ao entrarem na cadeia atravessaram um longo corredor, até que, por fim, enxergaram uma porta onde estava escrito *Delegado*. O guarda que os conduziu bateu à porta e disse alguma coisa, enfiando a cabeça dentro da sala. Logo, o delegado Everaldo apareceu para saldá-los com grande surpresa.

— Temos muito que conversar, não é mesmo, crianças? — indagou Everaldo. Ele era um homem baixinho, de enorme bigode e sem cabelos no topo da cabeça. Não parecia muito sério. Cumprimentou Bonanza um tanto admirado e Benjamim se sentiu desconfortável.

— Senhor, estou aqui para dizer que não sou o ladrão de livros — disse o menino, sem olhar para o prefeito. — Bonanza obrigou Ângelo a roubar toda a cidade e ainda o fez assinar um documento. Ele é o verdadeiro ladrão.

O guarda entregou o papel para Everaldo, que o leu com atenção franzindo o cenho, ora pigarreando, ora olhando para Bonanza.

— Besteira, delegado. Isso é uma mentira de criança — dizia o prefeito, surpreso com a inteligência dos meninos.

— Quem precisa ser preso é ele, delegado. Bonanza é o verdadeiro ladrão.

— Não discordo de você, garoto.

As crianças se entreolharam satisfeitas.

— Isso é um golpe! É uma farsa! — gritou Bonanza, arregalando os olhos.

— Então, senhor prefeito, esta assinatura no documento não pertence ao senhor? Ora! Não venha com historinha pra cima de mim — disse Everaldo, abaixando os óculos, agora parecendo bastante sério. — Já aturei isso por muito tempo. Como pôde fazer isso com tantas pessoas? Destruir os livros é destruir nossa própria cidade, nosso amor, nossa história. Há anos nossa economia é movimentada pelos livros. Vendemos, escrevemos e lemos. Devemos agradecer sempre, pois o que sabemos hoje foi graças a eles e aos escritores que lhes deram vida, em busca de nos divertir e nos instruir. Feliz é aquele que, mesmo não sabendo ler, consegue amar os livros e salvá-los. — E olhou para Benjamim. — Os livros serão eternos nesta cidade e a cidade sempre agradecerá a esses pequeninos — continuou Everaldo. — Talvez, essa sua acidez, prefeito, seja porque não provou do néctar saboroso de uma boa leitura e por isso não nos deu uma prefeitura de qualidade. Achou mesmo que iria fazer da cidade um lugar melhor sem o homem que deu vida a este maravilhoso lugar? Nunca duvidei da bondade do Encantador de Livros, nem mesmo de uma moça tão adorável como Eunice. — Seus olhos brilharam. — Confio nessas crianças. Vamos sempre amar os livros porque eles nos fazem úteis e não nos tornam imbecis. E por hoje é só. O senhor está preso, prefeito. Quem sabe na solidão de uma cela não peça um livro para se distrair, até porque, aqui não há outra coisa que nos faça mais felizes.

— Não! Eu imploro! Sempre amei os livros — Bonanza tentou argumentar. — Tenho uma biblioteca maior que essa prisão. Eu sou inocente. Não! Tirem essas algemas de mim.

Numa cela escura e úmida o prefeito foi colocado. Por três dias passou a gritar feito louco e logo todos os noticiários anunciavam a mesma manchete: *O verdadeiro ladrão de livros está preso.*

E para a alegria das crianças, Ângelo e Eunice deixaram a prisão. Benjamim abraçou sua madrasta com bastante força, como há muito não fazia.

— Eu estava com vocês o tempo todo, crianças — falou Ângelo, cheio de alegria. — A única arma para combater as ideias ruins são as ideias boas. Por isso, mandei meu livro gigante atrás de vocês. Agora, a cidade voltará a ter alegria e os seus livros novamente.

— Sabíamos que estava nos ajudando o tempo todo — disse Nicolas.

— Não podia deixá-los sozinhos e Benjamim... — Ângelo agachou para ficar do tamanho do sobrinho —, seu pai me disse que o amava muito e que nunca iria lhe esquecer. Tenha certeza de que Cícero está muito feliz. Jurei sempre estar por perto para ajudá-lo.

E com lágrimas nos olhos, todos se abraçaram.

Pouco depois, quando já estavam lá fora, viram o livrão se abrir mais uma vez e flutuar no ar feito coisa viva, cheia de encantamentos. As estrelas cintilantes brilhavam intensas sobre eles. Ângelo pôde, finalmente, sentir a liberdade daquela adorável cidade a envolvê-lo de forma afetuosa, como uma mãe que há anos não vê seu querido filho. Sorriu de mãos dadas a Benjamim, enquanto caminhavam em direção ao livro voador.

Uma ideia brotou e não deixou ninguém desanimado, nem tão pouco com preguiça. A ideia foi crescendo e, de repente, todos disputavam um espaço no livro gigante do Encantador de Livros.

— É assim que todos, daqui para frente, vão se sentir: em alegria!

— Isso! Isso! Isso! — disseram, segurando-se firme.

— Chegou o momento de trabalharmos juntos! — Ângelo agarrou-se, inclinou seu corpo para frente e com uma forte alavancada para cima, fez o enorme livro alçar voo. — Vejam! — Apontou para as casinhas lá embaixo. — Vamos espalhar alegria por todas as ruas. Iremos ler e escrever pelos quatro cantos da cidade. Quem sabe não enfeitamos o céu com letras também? As árvores voltarão a ter poemas e vamos distribuir livros em todas as esquinas. A praça será novamente o lugar predileto para as leituras gostosas de fim de tarde. Abriremos mais bibliotecas também! Dessa vez, não farei mais visitas, ficarei aqui para sempre, trabalhando noite e dia. — E, inesperadamente, parou e riu bem alto. — Tive uma ótima ideia!

— Conte-nos então — pediu Eunice, divertindo-se com o vento batendo em seu rosto.

— Reabrirei a antiga fábrica de livros e ela será a maior que esse mundo já viu. Estou tão empolgado que poderia ir até a lua agorinha mesmo!

— Mas, antes, precisamos devolver todos os livros — lembrou Benjamim, para o alívio de todos.

— Sim, os livros. Por que não pensei nisso antes? — Lembrou-se o Encantador e deu um estalo com os dedos.

E aquela noite foi a mais mágica de todas. Em poucas horas, os livros retornaram para suas prateleiras.

A cidade nunca tinha visto tão mágico espetáculo nos céus. Crianças e adultos colocavam suas cabeças para fora das janelas e sorriam encantados.

No dia seguinte, as ruas foram enfeitadas. Os jornais anunciavam o retorno do Encantador de Livros como o novo prefeito da cidade. E cantando alegremente pela Grande Praça, ele foi seguido por uma enorme multidão de moradores. As tardes em festa duraram semanas.

E Ângelo lá está. E todos os moradores da intrigante Cidade dos Livros, até os dias de hoje.

Passados dois anos, Benjamim acordaria na sua cama aconchegante, sã e salvo, e absolutamente feliz por estar morando numa casa nova, na companhia do Encantador de Livros e de Eunice, certo de que a leitura não era mais o grande problema da sua vida. Já havia aprendido a ler, é claro, e nunca tinha sentido a mágica dos livros tão intensamente dentro de si.

Agradecimento

Aos contadores de história, aos que se deliciam com o gosto mágico de uma boa leitura, aos que fazem da literatura o seu mundo mágico e, acima de tudo, àquela que acreditou na realização do meu sonho desde o começo, minha mãe. Ainda que sob o mar de estrelas do infinito espaço, sei que essa obra chegará até você... O Encantador de Livros me contou!

VISITE NOSSAS PÁGINAS OFICIAIS

www.lereditorial.com

twitter@Ler_Editorial

www.facebook.com/lereditorial

www.instagram.com/lereditorial

pinterest.com/lereditorial/

Ler
EDITORIAL

Impressão e Acabamento | Gráfica Viena
Todo papel desta obra possui certificação FSC® do fabricante.
Produzido conforme melhores práticas de gestão ambiental (ISO 14001)
www.graficaviena.com.br